PROFILE
다크스
마르 라의 기대를 한 몸에 받는 엘리트 사도. 페이를 라이벌로 여긴다.

PROFILE
켈리치
다크스를 서포트하는 소녀. **다크스에게 마음이 없다고** 주장하지만······.

"레, 레셰 씨?!
이건 코인 더미가……
응…… 아, 아니에요오!"

"어라.

이 코인 더미, 부드러워."

레셰

이전 용신 레오레셰. 3000년
의 잠에서 깨어난 게임을 좋
아하는 소녀.

오아시스에서?

God's Game We Play

2

The Ultimate game-battles of a boy and the gods

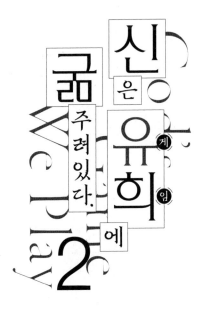

신은 유희에 굶주려 있다.

게임

에

2

Gods We Play

저자
사자네 케이

일러스트
토모세 토이로

옮긴이
김덕진

Character

《 등장인물 》

God's GameWe Play

페이

이 시대 최고의 루키로 기대받는 사도. 레셰 & 펄과 팀을 결성했다.

레셰

본명은 레오레셰. 3000년의 긴 잠에서 깨어난 신이었던 존재로 게임을 좋아하는 소녀.

펄

전이 능력을 지닌 사도. 전자동 착각 걸이라고 불릴 정도로 엉뚱함이 있는 성격.

넬

원하지 않는 패배로 부득
의하게 은퇴하게 된 마르
라의 이전 사도.

켈리치

다크스와 같은 팀이자 보
좌역. 다크스가 관심을 갖
은 페이가 탐탁지 않다.

다크스

페이를 일방적으로 라이
벌로 여기는 마르 라의
에이스.

한가한 지고의 신들이 만든 궁극의 두뇌게임 「신들
의 놀이」. 아직 아무도 달성하지 못한 10승을 거둔
자에게 부여되는 막대한 은혜를 노리는 인류가 신
에게 도전하는 세계에서, 소년 페이는 소녀 레셰
의 지명을 받는다. 그렇게 신이었던 소녀와 새로운
팀을 결성하게 된 페이는 새로운 동료 펄을 맞이해
「신들의 놀이」에 도전. 지혜를 짜낸 끝에 인류사
최초로 우로보로스를 격파하는 쾌거를 이루어 그
이름을 전 세계에 알리게 됐다.

Prologue 탈락자

대전 시간, 58시간 8분 41초 경과.

팀『불꽃의 각인_{실 오브 파이어}』, 21명 탈락.

남은 인원, 3명.

그 상황을 한마디로 표현하자면 절망이었다.

신진기예의 젊은 팀으로 신들의 놀이에 도전했지만, 고대하던 신의 게임은 엄청나게 난해했다.

60시간에 가까운 사투 끝에 동료가 한 명씩 탈락했다.

남은 인원은 **나**를 포함해 세 명뿐.

그리고 게임『신이 피었습니다』에서 **신을 공략하기 위해서는 최소 네 사람이 필요하다.**

체크메이트.

"……서렌더_{항복}."

좌우에 있던 두 명의 사도가 양팔을 들고 하늘을 올려다보았다.

그 모습에.

나는 어금니를 깨물며 힘껏 외쳤다.

"기다려주세요, 대장, 부대장! 게임은 아직 끝나지 않았습니다. 우리는 셋이나 남았잖아요!"

"부탁합니다! 전 이대로 끝내고 싶지 않―."

═══════════

"……?!"

벌떡 일어났다.

덮고 있던 이불을 천장까지 차올리며 튕기듯 침대에서 일어났다.

"……으 ……하아……아…… 하아…….."

커튼 사이로 들어오는 햇살.

어두운 침실에 멍하니 서있는 소녀는 그것이 꿈이었다는 사실을 그제야 깨달았다.

사도로 있을 수 있었던 마지막 날.

소녀는 신들의 놀이에서 3회 패배해 은퇴했다.

"또 그때의 꿈을……."

이마에서 땀이 또르르 떨어진다.

잠옷 대신 입은 탱크톱이 땀에 흠뻑 젖어 무거웠다. 얼마나 많은 땀을 흘린 걸까.

"……."

땀이 맺힌 왼손을 펼쳤다.

손바닥에 새겨진 세 개의 푸른 각인은 사도가 신들의 놀이에서 「3패」해서 은퇴했다는 증거.

말하자면 패배자의 낙인이다.

"나는 아직…… 미련을 버리지 못하는 건가……."

바로 그때.

침대 머리맡에서 전화기가 울렸다.

『넬! 빨리 신비법원 방송을 봐줘!』

상대는 무척 친한 친구였다.

"안녕, 안나. 무슨 일이야, 그렇게 다급히……."

『비적도시 루인이야! 지금 거기서 신들의 놀이 스트리밍을 하고 있어!』

루인?

분명 1년 전에 전 세계에서 화제가 된 도시다.

3천 년 전의 빙벽 속에서 「신」이 발굴됐다는 공전절후의 뉴스가 있었다.

"……신들의 놀이 스트리밍? 항상 하는 거잖아?"

벽 근처 모니터의 전원을 켰다.

그리고 그 방송을 본 넬 렉클리스는 전화기를 든 채로 얼어붙었다.

너무나 큰 충격에.

"신은 스스로 기적을 일구는 자에게 미소 지어. 그렇지?! 우로보로스!"

엄청나게 커다란 흑룡에게 도전하는 소년.

무한신 우로보로스.

바로 지금 격파 불가능이라 불리는 신에게 정면으로 도전하는 검은 머리 소년이 있었다.

"신을 쓰러뜨리는 건 신 자신. 이게, 우로보로스, 네 공략법이다."

용의 비명이 창공에 울린다.

무한신 우로보로스를 쓰러뜨린 인류사상 첫 공략자가 탄생한 순간이었다.

그 순간.

기숙사 밖에서 강화 유리로 된 창문이 깨질 듯한 커다란 함성이 울렸다. 이곳 성천도시(聖泉都市) 마르 라에서 몇만 명의 시청자가 루인의 게임을 지켜보고 있었다.

아마도.

전 세계의 도시가 인류사상 최초의 위업에 들끓었으리라.

자신도 그렇다.

가슴 속에서 불꽃이 뿜어져 나오는 것처럼 온몸이 뜨겁게 달아올랐다.

그만큼 뜨거운 투지를 보았다.

"이런…… 이런 게임 플레이가 있다니……!"

승리하기 전까지, 그는 패배 직전이었다. 그러나 그의 눈은 오히려 밝게 빛나고 있었다.

최고로 즐거운 듯이.

다른 사도들이 차례차례 탈락하는 사이에 무한신 우로보로스와의 게임을 이어 나가 결국엔 역전의 한 수를 끌어냈다.

……그래.

……역시 틀리지 않았잖아.

설령 몇 명이 패배한다 해도, 아무리 강력한 신을 만난다 해도 포기하지 않는다.

그것이야말로.

과거의 자신이 하고 싶었던 일이었다.

"안나, 저 사람의 이름은?!"

『응? 넬, 몰랐어? 반년 전에 화제였었잖아. 엄청 굉장한 루키가 나타났다면서.』

"그 페이였구나!"

루키 페이 테오 필스.

신비법원에 가입 후 신들의 놀이에서 순식간에 5연승을 거두고, 신비법원의 본부도 주목하고 있다는 소문이 있는 소년이다.

"……그래."

꿀꺽, 마른침을 삼켰다.

오랜만에 잊고 있던 긴장과 흥분으로 목이 건조해지는 것을 느끼며.

"……저 사람이 페이구나."

넬은 자신도 모르는 사이에 주먹을 쥐었다.

직감했다. 드디어 발견했다고.

"안나. 나는 저 사람의 팀에서 일하고 싶어."

『……뭐?! 자, 잠깐, 넬?!』

"그의 팀에서 인원을 모집하는지 알아볼 거야. 그렇게 됐으니 이사 준비도 해야겠네. 비적도시 루인에서 집세가 적당한 곳도 찾아서……."

『저기, 넬! 듣고 있어?!』

"페이 공."

이미 넬의 귀에는 친구의 목소리가 들어오지 않았다.

전화기를 꽉 쥐고서.

"넬 렉클리스, 당신께 평생을 바칠 것을 약속하겠다!"

Player.1	WGT (월드 게임즈 투어)

1

지평선에 붉은 태양이 떠오르기 시작한 새벽.

신비법원 루인 지부.

아직 많은 사무원이 출근하기 전인 빌딩에 무척이나 소란스러운 목소리가 울렸다.

"미란다~! 미란다!"

"아야?! 아, 아파, 아파요, 레셰 씨! 제 엉덩이가 바닥에 쓸려 닳아버릴 거라고요!"

"모, 목이…… 졸려……."

검은 머리 소년 페이와 금발 소녀 펄을 질질 끌며 인적 드문 복도를 활보하는 「이전 신」이 있었다.

용신 레오레셰.

타오르는 불꽃처럼 반짝이는 버밀리언^{주홍색} 머리카락의 소녀.

호기심 왕성할법한 호박색 눈동자가 반짝이고, 상기된 뺨은 귀여운 매력을 발산했다.

그 정체는 과거 영적 상위 세계에서 내려온 진짜 용신이다.

"……레셰!"

검은 머리 소년 페이는 그런 이전 신을 향해 갈라진 목소리를 짜냈다. 질식 직전, 목덜미를 붙잡혀 복도를 끌려 다니고 있었으니 당연했다.

"목이 졸린다고!"

"제 엉덩이가 너무 쓸려서 평평하게?!"

마찬가지로 비명을 지르는 금발 소녀 펄.

마찬가지로 목덜미를 붙들려 복도를 끌려 다니는 바람에 발육 상태가 좋은 엉덩이가 바닥에 쓸리는 마찰로 큰일이 벌어진 듯하다.

그리고.

"자, 우리가 왔어, 미란다!"

으직. 잠긴 문을 힘으로 무척이나 간단히 연 레셰가 돌격한 곳은 사무장의 집무실이었다.

"좋은 아침이에요, 레오레셰 님."

커피 컵을 든 여성이 인사한다.

이 집무실의 주인인 미란다 사무장. 캐리어 우먼 분위기의 길쭉한 눈매와 지적인 용모가 특징이다.

"참고로 저는 야근이 끝나 슬슬 자려던⋯⋯."

"약속은 지켰어!"

그런 미란다의 주장을 끊어버린 레셰가 왼쪽을 가리켰다.

그곳엔 울상이 되어서는 엉덩이를 쓰다듬는 펄이 있었다.

"아야야⋯⋯."

"여기 이 펠을! 나와 페이의 정식 팀원으로 삼았어."

"네. 이제 세 사람이 됐네요."

신비법원에 소속되는 팀. 신들의 놀이가 「신 하나 VS 인간 다수」라는 사양 때문에 인간 팀은 적어도 세 사람이 최소 편성으로 인정된다.

"그럼 팀도 결성했겠다, 바로 신들의 놀이에 다녀올게."

"안돼요."

"어째서?!"

집무실 책상 위로 상체를 쑥 내미는 레셰.

느긋하게 디카페인 커피를 마시는 미란다 사무장에게.

"팀을 모으면 신들의 놀이에 참가해도 된다고 말한 건 미란다잖아?"

"네. 다만, 레셰 님의 팀은 최소 편성인 세 사람이에요. 신들의 놀이에 도전할 때는 다른 팀과 합쳐 열 명 이상이 되어야 합니다."

"그 정도는 쉽지!"

페이 일행의 팀은 현재 세 명.

그러나 무한신 우로보로스 격파 이후 수면 밑에서 신들의 놀이에서 꼭 협력 플레이를 하자는 다른 팀의 의뢰가 산더미처럼 밀려들었다.

"다른 팀과 합쳐서 열 명을 모으면 당장 신들의 놀이에 참가할 수 있는 거지?!"

"아니요."

"어째서?!"

다시, 비명.

"……페이 군, 이럴 때 레셰 님을 말리는 게 네 역할이잖니?"

"전 말렸어요. 거기까지는 했어요."

페이는 소파에 앉은 채 한숨을 쉬는 사무장을 보며 고개를 저었다.

"레셰가 지하 다이브 센터에 직행하는 건 막았어요. 하지만 사무장님 쪽이 설명을 잘해줄 것 같아서요."

"하아…… 그렇구나. 그래서 이런 꼭두새벽부터 찾아온 거란 말이지."

미란다 사무장이 쓴웃음을 지었다.

방의 벽에 내장된 거대 모니터를 켜고 화면을 조작했다.

"그럼 레셰 님, 우선 이걸 봐주세요."

"……이게 뭐야?"

"우리 지부가 보관하고 있는 거신상의 다이브 신청 상황이에요. 거신상은 전부 다섯 개가 있는데, 하나는 사용할 수 없어서 네 개가 쉴 틈도 없이 가동 중입니다."

거신상 Ⅰ : 예약 팀 수 13(총 241명), 다이브 가능까지
추정 29일
거신상 Ⅱ : 예약 팀 수 17(총 277명), 다이브 가능까지

추정 34일

거신상 Ⅲ: 예약 팀 수 14(총 201명), 다이브 가능까지

추정 64일

거신상 Ⅳ: 예약 팀 수 19(총 283명), 다이브 가능까지

추정 33일

거신상이란.

한 마디로 설명하자면 이차원과 연결된 문이다.

고대 마법 문명 시대의 유산으로, 신들의 모습을 본떠 만든 거대한 석상이다. 이 석상에서 발생하는 빛의 문을 지나는 것으로 인간은 「신들의 놀이터」로 다이브할 수 있다.

"저기, 미란다. 이게 뭐야?"

"차례를 기다리고 있어요."

미란다 사무장이 안경을 손가락으로 추켜올렸다.

"유원지의 인기 놀이기구라면 3시간 정도 기다리는 것 정도는 흔하잖아요? 그것과 마찬가지예요. 다이브 가능한 거신상은 전부 예약이 찼어요."

"뭐?! 어째서!"

레셰의 눈이 휘둥그레졌다.

거신 타이탄과 무한신 우로보로스의 게임은 연속으로 다이브 할 수 있었는데.

"……왜 이렇게 갑자기 예약이 찬 거야?"

"구체적인 이유는 아직 불명이지만 추측해보자면 페이군이나 레셰 님 때문이겠죠."

어깨를 으쓱이는 사무장 미란다.

"왜, 레셰 님 일행이 무한신 우로보로스의 게임에서 승리했잖아요?"

"응. 그래서?"

"그게 다른 사도들에게 최고의 자극제가 된 거죠. 인류 사상 최초의 위업에 용기가 생긴 팀, 반대로 경쟁심이 자극된 팀이 잔뜩 신청했어요."

루인 지부의 사도는 총 1,200명. 그들의 팀 대부분이 일제히 신들의 놀이에 다이브하겠다며 신청서를 제출한 것이다.

"저기이, 사무장님……?"

지금까지 자신의 엉덩이를 쓰다듬던 펄이 이제야 소파에 앉으며 말했다.

"지금 바로 다이브를 신청하고 순서를 기다리면 얼마나 기다려야……."

"가장 빠른 게 거신상 Ⅰ이고 한 달 정도 걸릴 거야. 과거의 게임 플레이 시간으로 추측한 것이니 게임이 길어지면 그만큼 늦어지겠지만."

"……응, 알겠어."

레셰가 생긋 웃으며 끄덕였다.

"가자, 펄. 다이브 센터는 이 빌딩 지하 1층이지?"

"네? 갑자기 왜요?"

"거신상을 훔칠 거야. 힘으로."

"그게 무슨 말씀이세요?!"

의기양양하게 떠나려는 용신 레셰. 그리고 그 등에 펄이 매달려 필사적으로 말리는 사이에.

"보시다시피 이런 상황이에요, 미란다 사무장님."

페이는 사무장을 보며 어깨를 으쓱였다.

"이대로는 위험해요. 게임 금단 증상이 오고 있는 레셰가 날뛸지도 몰라요."

"으음……."

"뭔가 좋은 방법 없을까요? 차례를 기다리는 다른 사도들에게 폐를 끼치지 않고 사무 쪽도 번거롭게 하지 않으면서 바로 우리가 신들의 놀이에 도전할 방법이."

"있기는 해."

"있다고요?!"

이번엔 페이가 소리칠 차례였다.

자신이 한 말이 불가능하다는 것을 알면서 한 소리였다. 처음부터 레셰가 단념하도록 질문한 것인데, 설마 방법이 있다는 대답이 돌아올 줄이야.

"우리 지부로서는 거절할 생각이었거든. 페이 군과 레셰님에게도 비밀로 하고 싶었는데……."

미란다 사무장이 손에 든 커피를 단번에 비웠다.

"다들 다시 모니터를 주목해줘."

화면이 전환된다.

다섯 거신상이 사라지고, 화면에 남은 것은 이메일 한 통이었다.

월드 게임즈 투어
『WGT 제안의 건』

"……저기, 미란다. 이게 뭐야?"

멍하니 고개를 갸웃하는 레셰.

"WGT가 뭐야?"

"사도가 세계 각지의 지부에 초청되는 거예요. 무한신 우로보로스의 격파 다음 날부터 전 세계에서 자기 지역에서 게임을 플레이해달라는 요청이 산더미처럼 도착했어요."

"어째서?"

"……하긴, 레셰 님은 실감이 나지 않으시겠네요. 격파하기 어려운 신의 게임에서 승리한 사도는 전 세계에서 영웅시돼요. 주목이 상당하죠."

모니터 화면을 힐끔 본 미란다 사무장이 쓴웃음을 지었다.

"우리 루인 지부의 거신상은 예약이 가득하지만, 다른 도시의 거신상은 바로 다이브할 수 있는 곳이 있을 거예요."

"진짜? 그럼 거길 갈래!"

"……그렇게 고민 없이 말씀하시니 조금 쓸쓸하네요."

"어째서?"

"이건 그러니까, 스카우트거든요."

사무장이 단말을 조작.

모니터에 비친 세 번째 영상은…….

"아, 이건 그 게임이네요. 거신 타이탄 때의!"

펄이 화면을 가리키며 말을 이었다.

"저도 봤어요. 이 도시 사람들은 다들 생방송을 봤을 거 예요!"

"그래. 용신 레오레셰 님과 신입 페이 군의 참전이라서 이 생방송은 시청률이 상당했거든. 신비법원 지부도 봤을 정도야. **그러니까**……."

미란다 사무장이 큰 한숨을 쉬었다.

"너희의 게임은 시청률이 높을 게 분명해. 그걸 방송하는 건 우리 지부의 귀중한 수입원이라서, 너희가 다른 도시로 가면 우리 지부의 수입이 급감하는 거야."

페이를 포함한 세 사람은 루인 지부 소속이다.

그런데도.

페이 일행이 인기를 얻자마자 이득만 취하려는 듯이 다른 도시에서 권유가 왔다. 그것이 WGT다.

"그렇군요. 미란다 사무장님 입장에선 그다지 기분 좋은 일은 아니겠네요."

"그렇지, 페이 군. 그러니까 내심 거절할까 한 거지. 하지만 레셰 님이 이렇게 떼를 쓰시니……."

레셰는 당장에라도 신들의 놀이에 도전하고 싶어 한다.

그러기 위해서는 다이브할 수 있는 거신상이 필요하다. 그러나 루인 지부의 거신상은 예약이 가득차서 다른 도시의 빈 거신상에서 다이브할 수밖에 없다.

……하지만 루인 지부는 그걸 별로 원치 않겠지.

……시청률이 높은 인기 팀을 빼앗기는 셈이니까.

신비법원의 각 지부는 「신들의 놀이」에 도전하는 동료이자 라이벌이라는 관계일 것이다.

"……어쩔 수 없지."

인생 최대의 한숨을 쉰 미란다 사무장이 팔짱을 꼈다.

"WGT 건은 승낙할게요, 레셰 님. 거신상이 비어있는 지부에 가면 바로 신들의 놀이에 다이브할 수 있어요."

"정말?! 신난다!"

"그렇게 기뻐하시면 우리 지부로서는 슬픈데요. 그건 그렇고 펠 군, 잠깐 두 손을 내밀어봐. 손바닥이 이렇게 위에 오도록."

"……? 이렇게요?"

그 말은 들은 펠이 두 손을 내밀었다.

펠의 두 손바닥에는 생긴 붉고 푸른 각인이 문신처럼 새겨져 있었다.

오른손에는 붉은색으로 Ⅱ처럼 생긴 낙인.

왼손에는 푸른색으로 Ⅰ처럼 생긴 낙인.

신의 낙인. 이것이 사도의 성적표다. 펄은 2승 1패이기에 오른손에 Ⅱ, 왼손에 Ⅰ이 새겨져 있다.

"정말이네! 페이, 내 오른손에도 Ⅱ가 생겼어!"

레셰가 호기심 왕성한 듯이 눈을 반짝였다.

"어라? 하지만 왼손엔 아무것도 없네?"

"그야 레셰가 아직 1패도 하지 않았으니까 그렇지. 나도 마찬가지야."

페이의 오른손엔 Ⅴ.

왼손에는 아무것도 없다. 즉, 신들을 상대로 5승 0패라는 뜻이다.

"……압권이네. 특히 페이 군은."

페이의 오른손을 본 미란다 사무장이 반쯤 황당한 듯이 말을 이었다.

"그 Ⅴ라는 숫자, 신비법원 지부 하나에 한 명이 있을까 말까 한 숫자야. 나는 0패인 쪽이 더 놀랍지만…… 그런데 페이 군. 예전 일인데 내가 홍차와 케이크를 대접한 걸 기억하니?"

"물론이죠."

아직 신입이었을 때. 빌딩의 식당을 빌려 긴장한 페이와 다른 신입 사도들을 위한 친목회가 열린 적이 있었다.

"그때 먹었던 케이크, 어땠어?"

"맛있었어요, 평범하게."

"최고였지?"

"……? 네, 뭐. 최고였는지 묻는다면 기억이 애매하지만 맛있었던 건 막연하게 기억나요."

"맞아! 그렇고말고!"

무슨 말일까?

페이가 되묻기도 전에 사무장이 어깨를 덥석 잡았다.

"페이 군! 자네는 신입일 때부터 우리 지부가 공을 들여 키웠어. 우리 지부에 은혜를 입은 셈이지. 그렇지?!"

"……네, 네에."

"그런 네가 설마 우리 지부를 배신하지는 않겠지? WGT가 끝난 뒤에도 그쪽 지부의 급여가 좋다며 이적한다거나, 그런 은혜를 저버리는 행동은 절대로 하지 않겠지? 루인 지부가 제일이니까!"

"무서워라! 괘, 괜찮아요, 사무장님. WGT가 끝나면 돌아올게요."

"흠. 그럼 안심이야."

그제야 평소의 얼굴로 돌아온 사무장.

그러는가 싶더니 책상에서 어떤 용지를 꺼냈다.

"그럼 만약을 위해 계약서에 사인해줘."

"왜 그렇게 걱정이세요?! 계약서가 없어도 꼭 돌아온다니까요!"

WGT의 참가 결정.

페이, 용신 레셰, 펄. 세 사람인 팀(팀명 미설정)으로 세계 원정에 나선다.

"저기이, 미란다 사무장님."

펄이 조심스럽게 손을 들었다.

"저희가 다른 도시에 가는 거죠? 사무장님은 아까 많은 도시에서 제안이 왔다고 했던 것 같은데요."

"응. 지금까지 세계 각지의 신비법원 지부 스물 한 곳에서 연락이 왔어."

"어디로 가면 되나요?"

전 세계의 도시를 전부 돌기에는 시간의 문제가 있다.

"저희는 처음이니까 우선 한두 곳의 후보를 정하는 게 좋을 것 같은데요. 어떻게 정하면 될까요? 페이 씨는 가고 싶은 곳이 있나요?"

"공평하게 다트로 정하면 되지 않을까?"

다트. 원형 과녁판에 화살을 던지는 게임이다.

다만 페이와 레셰는 원하는 표적을 놓치지 않는다. 원하는 도시를 거의 정확하게 맞출 수 있으니 공평하기를 원한다면 인선도 중요하다.

"다트가 서툰 사람이 좋겠네."

"펄, 우리 대신 던져줘."

"……뭔가 좀 석연치 않지만, 알겠어요. 도시를 고른다는 이 명예, 저 펄이 받아들이겠습니다!"

펄이 다트를 들었다.

집무실 벽에 걸린 과녁판을 무척이나 진지한 표정으로 노려본다.

"자. 이쪽도 준비 끝났어."

보드의 각 부분마다 사무장이 작은 종이를 붙였다.

성천도시 마르 라. 화산도시 보던 라. 해양도시 피셔 라 등등.

이제 펄의 화살이 갈 곳을 정할 차례.

"자, 펄 군. 원하는 곳에 던지렴."

"네!"

펄이 화살을 뒤로 크게 들었다. 참고로 던지는 자세부터 틀렸지만, 페이가 그것을 지적하기도 전에.

"아뵤오!"

기합을 넣은 펄의 전력투구.

성천도시 마르 라. 그렇게 적힌 종이에 다트가 꽂혔다.

"사무장님, 여기면 되나요?"

"응? 아, 마르 라구나. 괜찮지 않을까? 여기서 가깝기도 하고."

다트가 꽂힌 곳을 흥미진진하게 들여다보는 미란다 사무장.

"재작년에 우수한 루키가 들어왔다고 해. 페이 군이나

레셰 님하고 마음이 맞을지도 모르지. 그럼 즐겁게 교류하고 와."

"흠. 어떤 사도인가요?"

"글쎄? 하지만 데뷔하자마자 마르 라 지부의 에이스로 발탁됐다고 하니 게임 실력은 확실하지 않을까?"

빙글빙글.

재주 좋게 검지 위에서 다트를 돌리는 사무장의 입가가 크게 올라갔다.

"참고로 페이 군, 지부의 교류회가 지닌 의미는 알고 있니?"

"네?"

"지면 안 돼."

2

이 세계에는 미지의 대지가 펼쳐져 있다.

도시를 한 발만 벗어나도.

렉스라 불리는 거대 생물이 활보하는 초원, 인간이 한 시간도 버티지 못하고 쓰러지는 작렬의 사막 지옥. 인간이 사는 도시는 주위를 강철로 된 벽으로 보호하지 않으면 렉스 무리의 습격을 받아 하룻밤 만에 괴멸할 것이다.

요컨대.

다른 도시로 이동한다는 것은 목숨을 거는 행위다.

"……과거의 사도는 참 대단했네요오."

대륙 철도.

도시와 도시를 연결하는 길을 달리는 특급 열차로 펄이 창문 너머를 바라보았다.

그 손에 트럼프 카드 네 장을 들고서.

"사도를 퇴역한 후예요. 신주의 힘을 활용해 도시를 경비하고 도시의 밖을 조금씩 개척했다고 해요."

"흐음."

맞장구를 친 레셰가 펄이 앞면이 보이지 않게 들고 있는 카드 한 장을 뽑았다.

도둑잡기다.

"개척이라면, 비경 탐험 말이야?"

"네. 우리는 신들로부터 어라이즈를 받았잖아요. 저는 텔레포터니까 비경 탐험에서는 큰 도움이 되지 않는 힘이지만 초인형이나 공격 마법을 사용하는 마법사는 무서운 비경 탐험에서 활약할 수 있어요."

인간에게는 힘이 필요하다.

가혹한 대자연을 살아남기 위한, 이 세계를 개척하기 위한 힘. 신들로부터 받은 어라이즈는 그야말로 인간이 바라는 은혜라 할 수 있으리라.

신들의 놀이 일곱 가지 룰.

룰1 ─ 신에게 어라이즈를 받은 인간은 사도가 된다.

룰2 ─ 어라이즈를 받은 자는 초인형 · 마법사형 중 한 개의 힘을 얻어 신과의 게임에 도전할 수 있다.

룰5 ─ 신들의 놀이에서 승리한 자에게 주어지는 상은, 어라이즈가 지닌 힘의 일부를 현실세계에서 쓸 수 있다. 승리하면 할수록 사용할 수 있는 힘이 강력해진다

렉스로부터 도망칠 수 있는 각력을 지닌 초인.

작열하는 사막의 바람을 완화하는 얼음 마법사나 바다의 거대 생물을 날려버리는 바람 마법사도 있다.

"인간과 신의 이해관계가 일치한 거야."

펄의 말을 이은 사람은 페이.

레셰가 펼친 카드 중에 가장 오른쪽 끝을 뽑으며.

"신들은 인간에게 어라이즈를 부여하는 것으로 무료함을 달래기 위한 게임을 마음껏 즐길 수 있어. 그리고 인간 측도 그 힘을 이용해 바깥 세계를 탐험할 수 있게 되지."

그것이 신들의 놀이.

인류 최고의 엔터테인먼트이자 바깥 세계에 도전하는 힘을 얻기 위한 곳이기도 하다.

"아, 펄도 참."

레세가 몸을 내밀었다.

그녀가 가리킨 것은 펄의 허벅지에 놓인 세 장의 카드.

"손이 멈췄잖아."

"앗…… 대화에 정신이 팔려서…… 제 차례네요!"

펄이 다급히 손을 뻗었다.

페이가 지닌 세 장의 카드 중 오른쪽에 있는 카드를 홀쩍 뽑고서.

"……."

순간.

레세는 펄의 눈썹이 움찔한 것을 놓치지 않았다.

"있잖아, 펄."

"네?! 왜 그러세요, 레세 씨!"

"나는 참 궁금해."

입가에 미소를 머금은 레세.

그러나 그 눈은 웃지 않았다. 오히려 펄의 얼굴을 가만히 들여다보고는.

"이렇게 즐거운 게임을 하고 있는데 표정이 왜 그렇게 어두운 거야?"

"어, 엄청 웃고 있는데요?!"

"왜 목소리가 떨려?"

"제, 제제제 목소리가 어, 어어, 언제 떨렸다고요?!"

"카드를 든 손가락도……."

"떨리지 않는다니까요!"

펄이 외쳤다.

멀리 떨어진 자리에 앉은 가족이 돌아볼 만큼 당황한 목소리로.

"레셰 씨! 그런 식으로 제게 심리전을 걸어도 안 넘어가요. 이번 턴에 제가 조커를 뽑았다는 증거는 전혀 없으니까요!"

"증거가 이만큼 모였는데?"

"네! 제가 페이 씨에게서 뽑은 카드는 평범한……."

"조커였지."

"페이 씨이이이?!"

펄의 비명.

"어, 어어, 어째서 폭로하는 건가요? 도둑잡기에서 누가 어떤 카드를 뽑았는지 알려주면 규칙 위반이에요!"

"아니…… 너무 티가 나서 괜찮겠다 싶었지."

지금은 셋이서 도둑잡기 게임 중이다.

펄이 조커를 뽑았다는 것은 조커를 들고 있던 페이라면 훤히 아는 사실.

참고로 레셰도 알고 있었다. 그 이유는 페이가 지닌 조커도 직전에 레셰에게서 뽑았기 때문이다.

"나는 레셰에게서 뽑은 조커를 다른 카드와 섞지 않고 그대로 들었어. 레셰가 그 움직임을 잘 확인했다면 그 조커를 네가 뽑은 것도 훤히 알 거야."

보지 않았던 것은 펄뿐. 그 이유는.

"펄, 손이 멈췄잖아."

"앗…… 죄송해요."

자신의 허벅지에 놓인 세 장의 카드를 펄이 주웠다.

그 순간에 있었던 일이었으니까.

"펄, 너는 네가 볼 때 오른쪽 끝이나 오른쪽에서 두 번째 카드를 뽑는 버릇이 있어."

"……네?"

"아까까지 다섯 번의 게임을 하면서 48번 뽑았는데, 23번이 그랬어. 두 번에 한 번은 그랬으니 여기에 두면 뽑지 않을까 한 거지."

"그, 그런 버릇이…… 그래서 아까부터 제가 진 거였군요……."

실은 한 가지 더.

조커를 뽑은 순간에 「눈 깜박임 두 번」.

뭔가 생각할 때, 혹은 긴장을 풀기 위해 무의식중에 하는 버릇이 있는데.

……이건 좀 더 비밀로 해둘까.

……보고 있으면 재밌으니까.

그때.

"그러고 보니 페이 씨, 한 가지 묻고 싶은 게 있는데요."

뭔가 떠올랐는지 펄이 퍼뜩 고개를 들었다.

"저희가 초대된 곳은 성천도시 마르 라잖아요. 거기서 신들의 놀이에 도전하는 건 저희 셋인가요?"

"아니. 그쪽 지부에서도 참가한대. 미란다 사무장님한테 들은 거지만."

신들의 놀이는 신 하나 VS 인간 다수로 이루어지는 게임이다.

이쪽 세 사람과 함께할 추가 인원이 필요하다.

"그쪽에서도 우리와 함께 게임에 참가할 사람을 모으고 있지 않을까?"

"……그거 말인데요."

"우리도 팀원이 더 필요하잖아? 매번 다른 팀과 함께 할 수도 없을 테니."

이상적인 미래는 페이 일행의 팀이 단독으로 신들의 놀이에 도전하는 것이다.

그러기 위해서 필요한 팀원은 대략 열 명.

다만 닥치는 대로 동료를 모을 수도 없다.

"우리와 손발이 잘 맞고 협조성이 있는 사람. 그리고 전에 이야기했지만 든든한 어라이즈를 가진 사람이 좋겠지. 펄 정도로."

"오오?! 든든한! ……빈말이라도 기쁜 말이에요."

"아니. 나는 사실을 말했을 뿐이야."

펄 다이아몬드는 전이 능력자다.

펄 자신이 「변덕스러운 여행자」라고 명명한 어라이즈는 두 종류의 전이를 발동할 수 있다.

①순간 이동.

반경 30미터 이내에 워프 포탈을 두 개 설치해 그 두 곳을 자유롭게 오갈 수 있다.

다만 연속 발동은 불가능. 다시 발동하기 위해서는 30초의 충전 시간이 필요하다.

②위상 교환.

사람과 사람, 물건과 물건의 현재 위치를 바꿀 수 있다.

다만 직전 3분 이내에 대상이 ①의 워프 포탈을 통과했거나 펄 본인이 만진 것이 아니면 안 된다.

……보통 능력은 **둘 중에 하나**인 편이 많지.

……하지만 펄은 두 가지 다 사용할 수 있어.

사용 방법에 따라서 게임의 국면조차 뒤집을 수 있다.

역으로 말하면, 이렇게까지 우수한 펄이 있는 이상 새로운 팀원에게 바라는 허들은 자연스럽게 높아진다.

"예를 들어 나와 펄이 어려워하는 건 스포츠 계열 게임이야. 그렇다면 술래잡기라든가 마라톤 등에서 기댈 수 있는 동료가 있으면 든든할지도 모르겠네. 초인형이라……

참고로 펄은 바라는 게 있어? 어떤 동료가 좋다든가, 이런 건 싫다든가."

"네? 제, 제가 바라는 거요? 으음, 특정 어라이즈를 바라는 건 없지만."

펄이 생각에 잠기며 팔짱을 꼈다.

그것 때문에 카드가 훤히 보였지만 전혀 알아차리지 못한 모양이다.

"저는 겁이 많으니 얼굴이 무서운 사람이라든가 목소리가 유독 큰 사람은 좀 불편할지도 모르겠네요. 레셰 씨는요?"

"나? 게임을 사랑한다면 누구든 환영이야. 다만……."

레셰가 눈앞을 빤히 응시한다.

맞은편에 앉은 인물은 역시 펄이지만, 레셰의 강렬한 시선이 향한 것은 얼굴이 아니었다.

팔짱을 낀 펄의 팔 위에 묵직하게 놓인 거대한 두 개의 둔덕을 응시하고는.

"……극히 일부의 부위가 큰 여자는 용납할 수 없어."

"어딜 보시는 거예요?!"

"대흉근이야."

"근육 쪽이었어요?!"

그런 대화를 나누고 있으니.

레셰가 지닌 소형 파우치에서 벨이 울린다.

『안녕하세요, 레오레셰 님.』

"……어라, 미란다지?"

전화기에서 들린 목소리는 사무장의 인사였다.

『무사히 마르 라 행 열차에 타셨나요? 다른 열차를 타시지는 않았죠?』

"당연하지. 페이가 그렇게 말했으니까."

『그럼 됐어요. ……어험, 저번엔 그렇게 말씀드렸지만 잘 생각해보니 레셰 님에겐 이번 WGT가 좋은 기회인 것 같네요.』

"뭐가?"

『인간 사회의 공부 말이에요.』

무척이나 진지하게 말하는 미란다 사무장.

『레셰 님의 방에는 많은 책이 있었지만, 책에 적힌 지식이 아니라 직접 눈으로 보시면서 견물을 넓힐 좋은 기회예요. 수학여행이라고나 할까요? 덧붙이자면 지식을 쌓는 것만이 아니라 페이 군과 친목을 다지기에도 좋은 기회겠네요.』

나?

사무장의 갑작스러운 지명에 페이가 놀라는 사이에도, 두 사람의 대화가 이어졌다.

『그런데 레셰 님. 이동 중에 시간 있으시죠? 지금 뭐하고 계신가요? 설마 셋이서 트럼프나 보드게임만 하는 건 아니겠죠?』

"트럼프하고 있는데…….'

레셰가 고개를 갸웃했다.

"다른 게임이 좋았을까? 미란다가 추천하는 건 뭐야?"

『레셰 님, 열차 안에서 해야 하는 건 게임이 아니에요! 하셔야 하는 것은 바로 「별것 아닌 대화」예요. 한창때인 소년 소녀라면 사랑 이야기는 어떨까요?!』

"사랑 이야기?"

『잘 들으세요, 레셰 님!』

미란다 사무장의 목소리에 열기가 담겼다.

『레셰 님이나 페이 군, 펄 군의 팀에는 부족한 게 있어요. 그건 바로 신뢰도입니다. 팀워크라고 해도 무관하겠죠.』

"그거라면 완벽해."

『아니요! 제가 이렇게 말하는 이유는 게임 내의 팀워크는 게임 밖 일상의 친밀도로 정해지는 것이기 때문입니다. 현실을 소홀히 해서는 안 돼요!』

"친밀도?"

『네. 게임만이 아니에요. 평소에도 페이 군과 더 친밀한 관계를 쌓으셔야 해요. 그래서 이번 WGT는 좋은 기회입니다. 평소와는 다른 생활, 평소와는 다른 도시를 여행하는 사이에 서로의 새로운 일면을 알게 될 겁니다. 그러면 점차 마음의 거리도 줄어들 거예요.』

"그런 거구나!"

통신기를 든 레셰가 자리에서 일어났다.

미란다의 이야기에 흥미가 생겼는지 눈을 반짝이면서.

"나와 페이가 더 친해지는 것! 그건 중요한 일이야!"

『맞아요. 레셰 님과 페이 군이 최고의 파트너가 되기 위해서라도 몸과 마음이 하나가 되어야 해요. 예를 들자면 페이 군이 목욕할 때 레셰 님도 꼭 함께 들어가세요. 등을 씻어준다며 부드럽게 밀착해서…….』

"그럴게!"

"그러지 마!"

페이의 항의는 흥분한 레셰의 귀에 들어오지 않았다.

『목욕하고 나온 뒤엔 그의 등을 천천히 안고서 「……어지럽네」 하고 속삭이세요. 그대로 페이 군과 사이좋게 같은 침대에서 자는 것도 추천해요. 페이 군과 더 마음이 통하는 사이가 될 거예요.』

"외, 외설스러워요!"

이제는 말조차 나오지 않는 페이를 대신하듯.

펄이 다급히 외쳤다. 뭔가 굉장한 것을 상상했는지 얼굴이 앵두처럼 붉어진 채로.

"한창때인 남녀가 같은 침대에서 잔다니…… 하룻밤 사이에 아무런 일도 없을 리가 없어요. 팀원으로서 제가 용납할 수 없습니다!"

『호오, 펄 군. 그 말은 새치기당하고 싶지 않다는 거니?』

씩.

통신기 너머로 사무장이 미소 짓는 것이 전해졌다.

『얌전한 얼굴이지만 망상은 풍부한 모양이네. 레셰 님을 견제하면서 자신 있는 육체로 페이 군을 **빼앗**으려는 거니?』

"내 페이를!"

"누명에도 정도가 있다고요오!"

차내에 울리는 펄의 비명.

"무, 물론…… 페이 씨한테는 정말로 신세를 졌고, 사도로서 존경하는 데다 멋진 사람이라고 생각하지만……."

『하지만 펄 군. 페이 군과 **그런 사이**가 되면 좋을 것 같지 않아?』

"……!"

『같은 팀 사도끼리 동료 의식 이외의 감정이 싹트는 건 드문 일이 아니야. 오히려 자연스러운 흐름이지. 자신의 감정에 솔직해지는 것도 중요한 일이야.』

펄이 침묵.

한껏 황홀해 보이는 얼굴로 한동안 천장을 올려다보고는.

"……그건 그것대로 좋을지도."

"퍼어어어어어얼!"

"혼잣말이었다고요!"

머리카락을 곤두세운 레셰가 소리치자 펄이 옆 차량으로 도망쳤다.

그런 상황을 바라보고서.

『하하하. 재밌네, 페이 군. 농담으로 한 말인데 의외로 가능성이 있을 것 같잖아.』

"……노코멘트 할게요."

페이는 고개를 돌렸다.

펄

레셰 씨, WGT(월드 게임즈 투어) 준비는 다 하셨나요?
잊은 물건이 있어도 가지러 돌아올 수는 없어요.

레셰

게임을 가방에 잔뜩 담았어!

펄

게임이 아니라!

왜…… 그쪽 도시에 몇 박이나 하잖아요. 돈이라든가 갈아입을
옷이라든가 칫솔이라든가. 그리고 마음에 든 베개라든가.

레셰

펄한테 빌릴게.

펄

제 걸 빌리기 전에 스스로 가져가려는 노력을
해주세요!

레셰

뭐?! ……설마, 펄은 사이즈가 너무 커서 나한테는
맞지 않다는 거야?

그래서 빌려줄 수 없다고, 그렇게 말하고 싶은 거구나!

펄

그런 뜻이 아니라니까요?!

Player.2　　팀에 들어와라 / 넣어줘

1

새벽.

대륙 철도를 하룻밤 동안 달려서야 지평선 너머로 도시의 윤곽이 보이기 시작했다.

성천도시 마르 라.

작열하는 황야를 횡단한 특급 열차가 드디어 도착했다.

"도착했어요~!"

"도착했네!"

열차 출입문으로 굴러떨어질 듯이 뛰쳐나간 펄.

그 뒤로 눈을 반짝이며 뛰어나간 레셰.

"여기가 성천도시 마르 라구나? 이 땅의 명물 게임은 뭘까? 우선 게임 가게를 둘러봐야겠어!"

레셰가 반짝이는 눈으로 돌아보았다.

"가자, 페이!"

"그래, 괜찮겠지. 신비법원 마르 라 지부에는 낮에 방문할 예정이니 아직 시간 있으니까."

"……그런데 페이 씨."

개찰구 바로 앞 메인 게이트를 가리킨 펄이 속삭였다.

"저분은 누구일까요?"

거기엔 스포츠 선수 같은 장신 소녀가 서 있었다.

윤기 있는 검은 머리를 묶은 모습. 소박한 셔츠의 소매를 어깨까지 말아 올렸고, 거기에 드러난 팔뚝이 무척이나 다부졌다.

나이는 페이와 같거나 한 살 위 정도. 어른스러운 풍모이지만 순박한 눈빛은 어딘가 앳된 소녀다움이 남아 있었다. 다만.

펄이 일부러 주목한 것은 다른 이유가 있다.

"엄청 수상한데요."

그렇다. 그녀는 수상했다.

우선 이마에 감은 새빨간 머리띠. 응원단 같은 풍모로 그 두 손에는 응원단이 휘두를 법한 커다란 깃발이 쥐어져 있었다.

『페이 님, 펄 님, 레오레셰 님 일행』

『뜨겁게 환영. 우리 도시에 잘 오셨습니다!』

너무나도 눈에 띈다.

대체 무슨 일인가 하고 역을 지나는 사람들도 그녀의 주위만 피해서 다닐 정도였다.

"……저 사람, 뭐야?"

레셰조차 당황한 듯이 말했다.

"……난 이해가 안 되는걸."

"……저도 좀 피하고 싶어요오."

"……쉿. 조용히. 우리를 발견하면 성가셔질 거야."

레셰, 펄, 페이가 얼굴을 마주 보았다.

세 사람이 떠올린 것은 바로「엮이지 않는 편이 좋을 듯
함」이었다.

"알겠지. 다른 사람인 척하고 몰래 도망치자. 사람들 사
이에 섞여서……."

"흠?!"

검은 머리 소녀가 돌아본다.

목소리나 발소리를 느꼈는지, 소녀는 페이 일행을 보자
마자 눈을 번뜩였다.

"아아아아앗! 설마 거기 있는 건!"

"도망치자!"

전속력으로 달렸다.

그런 페이 일행의 뒷모습을 보며 검은 머리 소녀가 외쳤다.

"……자, 잠깐! 어째서 도망치나?! 나는 절대로 수상한
자가 아니다!"

"엄청나게 수상하잖아!"

"친해지고 싶지 않은 분위기로 똘똘 뭉쳤다고요오!"

페이 일행은 멈추지 않았다.

앞의 대로를 달려 도망가려 한 그 순간.

한줄기 바람이 불었다.

비유하자면 「부웅」 하고 바람을 가르는 소리.

신발 바닥이 아스팔트 노면에 쓸리는 소리가 들렸다. 그렇게 생각했을 땐 이미 선풍과 같은 기세로 검은 머리 소녀가 일행을 앞질러 있었다.

"……네?"

황당해하는 펄이 눈을 깜박였다.

무슨 일이 일어났는지 이해하기까지는 시간이 필요했다. 허공에 잔상이 남을 정도의 속도로 검은 머리 소녀가 뒤에서 달려온 것이다.

페이조차 갑작스러운 상황에 바로 말이 나오지 않았다.

……아니, 잠깐. 아무리 그래도 너무 빠른 거 아니야?!

……우리와 50미터는 떨어져 있었는데 2초 만에 따라와 앞질렀다고?!

인간의 수준을 벗어났다.

그렇다면 대답은 하나. 신에게서 힘을 받은 사도다. 그것도 육체 강화의 초인형.

"……당신, 사도야?"

"자기소개를 하겠다!"

검은 머리카락이 휘날리는 장신의 소녀가 자기 가슴에 손을 얹었다.

"내 이름은 넬 렉클리스. 성천도시 마르 라 소속의 사도였던 사람이다."

"사도**였다고**?"

미세한 위화감.

넬이라 밝힌 소녀의 말에 담긴 뜻을 페이가 지적해야 할지 결단하기도 전에, 그녀의 입에서 나온 다음 말에 주변 공기가 얼어붙었다.

"페이 공, 나를 당신의 여자로 삼아주었으면 한다!"

"……어?"

그건 페이가 최근 1년 중에서 가장 순수하게 입에 담은 「어?」였다.

당신의 여자? 뭐야 그 수상한 발언은.

"……."

"……."

펄, 그리고 레셰도.

특히나 레셰가 눈을 동그랗게 뜨고 멍해진 모습은 페이도 처음 봤을 정도다.

"응? 아, 이상한 의미는 아니었다."

검은 머리 소녀 넬이 알았다는 행동을 했다.

"나를 부하로 삼아달라는 의미였어."

"헷갈리잖아?! 다시 전력으로 도망칠 참이었다고, 나는!"

"페이 공!"

넬이 외쳤다.

큰 길이 울릴 정도로 쓸데없이 커다란 음량으로.

"우로보로스의 방송을 보고 확신했다. 내가 모실 주군은 당신밖에 없다고! 부디 나를 부하로 삼아주었으면 한다!"

"……아니, 부하라니. 게다가 주군이라니 왜 그렇게 거창하게……."

"거창하지 않다!"

흥분으로 얼굴이 붉어진 넬이 더욱 목소리를 높였다.

그 탓에 구경꾼들이 수군거리며 몰려들고 있는데 말하기에 열중한 넬은 그들이 보이지 않는 듯했다.

"저기…… 목소리를 너무 높이면 눈에 띈다고나 할까요……."

"취사, 세탁, 다리미질이든 뭐든지 하겠다! 바, 바란다면 욕실에서 등을 씻겨줄 수도!"

"왜 이야기가 점점 악화되는 건데?!"

아, 틀렸다.

이 검은 머리 소녀는 흥분하면 주위가 보이지 않는 타입이다.

"하아…… 정말이지. 대체 어떻게 된 건지. 안 그래, 레셰…… 레셰?"

돌아보았다. 거기서 페이가 본 것은.

어두워진 표정으로 소곤소곤 이야기를 주고받는 레셰와 펄.

"······페이, ······내가 있는데도······."

"······처음 보는 여자한테 욕실에서 등을 씻겨달라는 둥, 취사, 세탁을 해준다는 둥······ 아무리 저라도 이건 옹호할 수 없을지도 모르겠어요."

"옹호해야지, 나를!"

설득할 시간도 없다.

그 이유는 페이의 뒤에서 검은 머리 소녀 넬이 성큼 앞으로 더 다가왔기 때문이었다.

"부디 나를 부하로!"

"그러니까 나는."

"무릎을 꿇으라면 그렇게 하지!"

"내가 언제 그랬어?! 아니, 진짜로 할 셈이야?!"

사람들의 시선이 모인 길거리에서.

아스팔트 노면에 이마가 닿을 정도로, 그야말로 훌륭한 포즈였다.

"부탁이다!"

"······."

"페이 공!"

침묵. 아무리 기다려도 대답이 없었다.

어떻게 됐는지 궁금해진 넬이 조심스럽게 고개를 드니.

그 자리에서 전속력으로 도망치는 페이 일행의 뒷모습이

보였다.

"아아앗, 기, 기다려, 페……."

쫓아가려고 일어섰다.

그런 넬의 뒤에서 구경꾼들의 다급한 비명이 울린다. 그리고 자동차의 경적도.

"위험해!"

"피해, 아가씨! 차가……!"

사거리를 돌아들어 나온 트럭.

설마 큰길 한복판에서 무릎을 꿇은 소녀가 있을 줄은 꿈에도 몰랐으리라. 넬을 발견한 운전수가 다급히 브레이크를 밟았지만, 이미 늦었다.

치인다.

모두가 등줄기가 오싹해졌을 것이다. 오직 넬 자신을 제외하고는.

"합!"

왼발로 노면을 차고 오른발을 들어 올린다.

몸을 팽이처럼 급선회. 넬의 오른발이 빠르게 돌진하는 트럭을 찬 순간. 오른발과 트럭의 접촉면이 빛났다.

어라이즈, 발동.

넬 렉클리스는 초인형, 그것도 각력 특화 능력이다.

『모멘트 반전』.

에너지, 질량에 상관없이 넬이 발로 찬 물건을 튕겨낸다.

운석이 낙하하든 미사일이 떨어지든, 타이밍만 맞으면 튕겨낼 수 없는 것이 없다. 물론 트럭도.

"아……."

빠른 속도로 달려온 트럭이 튕겨지더니 세차게 벽에 충돌.

연기가 피어오르며 옆으로 쓰러지고 말았다.

"아, 아앗, 이런! 그만 반사적으로…… 괘, 괜찮으십니까, 운전사 아저씨!"

그리고 넬이 당황했을 땐 이미.

페이 일행은 멀리 도망친 후였다.

2

신비법원 마르 라 지부.

"하아…… 하아…… 아…… 배, 배고파요!"

푸른 은색으로 빛나는 타워.

그 빌딩을 올려다본 펄의 입에서 나온 첫마디가 그것이었다.

"대, 대체 뭐였을까요, 그 여자는."

"……간신히 뿌리쳤군."

쨍쨍한 햇살 속에서 페이도 이마의 땀을 닦았다.

"잘 모르겠지만 어쨌든 그런 사람은 피하는 게 정답이지."

넬이라는 검은 머리 소녀.

초인형 사도일 그녀에게서 계속 도망치다 보니 어느새 이곳에 도착해 있었다.

원래는 도시를 관광하고 점심을 먹은 뒤 여유롭게 도착할 예정이었다.

"으으…… 점심 먹을 시간이…….'

"아아…… 내 게임 가게 순회가…….'

"그만 가자."

페이는 고개를 푹 숙인 펄과 레셰의 손을 잡아당겼다.

빌딩 현관.

발을 디딘 그곳은 마치 박물관 같은 디자인의 로비가 펼쳐져 있었다.

제일 먼저 일행을 맞이한 것은 거대한 신의 동상.

"오. 물의 정령 운디네인가?"

이곳, 성천도시 마르 라를 지켜준다는 전설의 정령이다.

그 동상을 올려보는 사이에.

홀에 선 페이의 뒤로 술렁임이 조금씩 퍼지기 시작했다.

이곳 마르 라 지부의 사도들이다.

페이 일행과 같은 의례복을 입었지만, 어깨 라인이 붉은색이다. 루인 지부의 옷은 파란색이어서 그것으로 그들도 다른 지부에서 왔다는 것을 알게 됐을 것이다.

"어…… 어쩐지 우리를 주목하는데요, 페이 씨……!"

"근데 왜 내 뒤에 숨는 거야?"

"주목받는 게 싫어서요!"

"나도…….."

원하지 않는다. 그렇게 말하려던 순간.

"자네들."

"……어?"

그런 펄의 어깨에 커다란 손바닥이 올려졌다.

수박도 으깰 법한 커다란 손. 돌아본 그곳에는 선글라스를 낀 근육질 남성이 펄을 내려다보고 있었다.

"혹시…….."

"치한이예요오오오오!"

펄이 사라졌다. 순식간에 텔레포트로 로비 입구까지 물러난 펄이 페이의 옆에 선 거한을 가리켰다.

"경비원 아저씨, 저 사람 치한이에요!"

"치한이 아니야!"

"제 어깨를 만져서 어쩌려는 거였나요?!"

"말을 걸었을 뿐이다만…….."

"분명 치한일 거예요오오오오오!"

"사무장이다."

"……네?"

펄이 눈을 깜박였다.

금발을 짧게 자른 재킷 차림의 남자가 어깨를 으쓱였다.

"신비법원 마르 라 지부에 잘 왔다. 내가 사무장인 바레가 아이언즈다."

2분 후.

사무장 바레가의 안내로 페이 일행은 마르 라 지부의 빌딩을 올랐다.

계단으로.

"저, 저기이…… 저희는 왜 계단을 오르고 있는 건가요……."

"사무장실이 8층에 있으니까."

"아, 아니요. 그게…… 제가 하고 싶은 말은, 엘리베이터가 눈앞에 있었던 것 같아서요."

"계단을 오르는 게 건강에 좋다."

근육질 사무장이 그 넓은 등으로 대답했다.

"걷는 것으로 혈류가 개선되어 뇌로 오는 산소가 자연스럽게 늘어나지. 뇌에 오가는 산소가 늘어나는 것으로 사고가 확장되어 좋은 게임 플레이가 가능해진다. 그러니 육체를 단련하는 거다."

"……에잉."

"훌륭해!"

싫어하는 펄의 뒤에서 계단을 단번에 뛰어오른 레셰.

순식간에 계단의 층계참에 올라서서는.

"건전한 게임 플레이는 건전한 육체에 깃든다. 나도 그 말에 동감해!"

"칭찬해주셔서 영광입니다. 용신 레오레셰 님."

"응. 장시간 게임 플레이하려면 무엇보다 건강해야지. 펄, 너도 게임 근육을 단련해!"

"게임 근육?!"

"게임을 하는 근육 말이야."

"그게 어느 부위인데요?!"

"자."

계단을 오르며 사무장 바레가 등 너머로 말을 이었다.

"사무장실에서 이야기할까 했지만 제군들도 바쁘겠지. 계단을 오르며 이번 이벤트 이야기를 하마. 다시 말하지만 WGT의 목적지로 우리 도시를 선택해준 것에 감사한다."

<small>월드 게임즈 투어</small>

"……그러니까, 엘리베이터라면 8층까지 금방인데에."

"미리 말했듯 우리 마르 라 지부가 관리하는 거신상에서 신들의 놀이에 도전해주었으면 한다. 응원회장으로 도시의 스포츠 스타디움을 빌렸다. 만 명의 관객석 예약이 끝났지."

"만 명이요?! 티켓이 다 팔렸나요?!"

"도시 마르 라의 민중이 너희에게 응원을 보낼 거다. 물론 방송을 통해 전 세계도 지켜보겠지."

"……으, 으아아. 큰일이에요, 페이 씨."

펄이 콕콕 등을 찔렀다.

그 표정은 이미 어마어마한 긴장으로 새파래졌다.

"나아가 이번 이벤트는 도시 교류도 겸하고 있지. 우리 지부의 사도들도 자네들이 오기를 고대하고 있었다. 게임 실력을 겨뤄보고 싶다는 혈기 왕성한 자도 많지. 친목을 겸한 도시 교류전이다. 그쪽도 잘 부탁하고 싶군."

WGT 이벤트는 두 가지.

메인 이벤트는 3일 후에 있을 『신들의 놀이』.

그리고 다른 하나는 내일 열릴 친목을 다지기 위한 도시 교류전이다.

"도시 교류전은 우리 쪽에서 지원자가 쇄도했지. 이전 신이셨던 레오레셰 님, 이 시대 최고의 루키로 유명한 페이와 꼭 싸워보고 싶다면서 말이야."

"어? 그렇다면 저도?"

펄이 퍼뜩 정신 차리며 기쁜 듯이 얼굴을 붉혔다.

"어머나, 하긴 그렇겠네요. 누가 뭐래도 그 불패의 신 우로보로스를 쓰러뜨렸으니까요. 저는 전 세계의 사도의 주목을 받는군요. 에헤헤."

"……."

"뭔가요, 그 침묵은?! 자, 잠깐만요, 사무장님? 제 인기는요?!"

펄의 필사적인 호소가 중앙 계단에 허무하게 메아리쳤다.

빌딩 8층.

페이 일행이 온 홀에는 몇십 장의 사진이 걸려 있었다.

사도의 사진인데, 의례복 디자인이 저마다 달랐다.

"작년 WGT의 기념사진이다. 그 옆은 재작년 거지. 이 집합 사진은 전부 다른 도시에서 게스트로 온 사도들이다."

"흐음? 옷의 색이 전부 다르네. 지금까지 신경 쓴 적 없었어."

레셰의 시선이 흥미진진하게 사진을 향했다.

신비법원은 소속 지부마다 옷의 색이 다르다. 홀의 사진을 하나하나 천천히 둘러보고는.

"아, 저기, 페이! 이게 뭐야?"

레셰가 마지막 사진을 가리켰다.

그 사진에는 네 명의 남녀 사도가 찍혀 있었는데 레셰가 주목한 이유는 옷일 것이다.

검은 의례복.

페이를 포함한 다른 사도들은 흰색 바탕의 디자인인 반면, 이 네 사람만은 자못 엄숙한 검은색 바탕에 금색 자수가 있었다.

"뭔가 특이한 색이네?"

"아, 그건 신비법원 심사에서 AA 이상을 받은 팀이야. 엄청 받기 힘들어. 신과의 게임 승률이라든가 팀의 운영 상황과 규율 엄수 등, 대부분의 팀은 A를 유지하는 것만으로 고작인데.”

심사 「AA」의 기준은 대략 지부마다 한 팀.

다시 말해 어느 지부든 최상위 팀은 검은 의례복을 입을 자격이 있다.

반면.

페이가 주목한 것은 검은 의례복에 새겨진 금색 자수였다.

“여길 봐, 레셰. 이 네 사람은 어깨 라인이 금색이지? 이건 말이지…….”

“본부.”

그렇게 대답한 사람은 사무장 바레가였다.

“검은 의례복은 이른바 「그 지부의 최우수 팀」을 뜻하는 것에 불과하지만 금색 자수는 좀 다릅니다. 금색 자수는 신비법원 본부만의 특권입니다, 레오레셰 님.”

“……응?”

“1년 전, 레오레셰 님께서 발견됐을 때도 신비법원 본부에서 몇 번인가 사람이 찾아갔을 텐데요.”

“기억 안 나.”

“총괄입니다. 신비법원이라는 조직의 총괄로 「그녀들」이 우리 도시에 왔을 때 찍었던 기념 촬영이죠.”

사무장 바레가가 선글라스를 손가락으로 추켜올렸다.

네 명의 사도. 금색 자수로 장식된 검은 의례복을 입은 자들을 올려다본다.

"신비법원 본부, 에이스 팀『모든 혼이 모이는 성좌(마인드 오버 마터)』."

본부의 에이스.

그것은 즉, 현재 세계 최강이라는 의미……인데.

"음……."

그 사진을 올려다보는 레셰는 뭔가 석연치 않은 표정이었다. 게임의 달인이라고 하면 눈을 반짝이는 레셰가 말이다.

뭔가 아닌데. 위화감이 든다고나 할까?

"왜 그래? 레셰."

"그게 말이지."

또각.

딱딱한 구둣발 소리가 레셰의 말을 가로막았다.

"보지 못한 옷이로군. 푸른 라인…… 루인 지부인가."

홀에 나타난 사도.

회색에 가까운 은발에 강한 의지가 느껴지는 날카로운 눈매. 흡사 일류 배우처럼 깔끔한 얼굴과 단련된 장신.

"사무장, 그들이 전에 말했던 게스트인가?"

"다크스인가. 너답군. **교류전 전부터** 게스트에게 인사하러 온 건가."

사무장이 돌아보았다.

"마침 잘됐군. 소개하겠습니다, 레오레셰 님. 이 남자는—."

"내 이름은 다크스."

검은 의례복을 입은 그 청년이 위엄 있는 음색으로 그렇게 말했다.

"다크스 기어 시미터. 재작년에 이곳 마르 라 지부에 배속된 사도다. 너희 소문은 자주 들었지."

"너, 너희라고? 다크스, 이쪽은 신이었던 분으로……."

"특별 대우할 생각은 없다."

사무장이 다급히 정정하려 했지만 이번에도 말을 끊었다.

"이전 신이든 뭐든 간에 내가 관심 있는 건「게임을 잘하는지」에 관해서. 그것뿐이지."

"……흐음."

레셰가 입꼬리를 살짝 올렸다.

주홍색 앞머리를 손으로 살며시 쓸면서.

"좋네. 게임밖에 모르는 인간, 나는 너 같은 인간을 좋아해."

"저기이, 사무장님?"

그 옆에서 고개를 갸웃한 펄이 물었다.

"이 사람은 재작년의 루키라고 했죠? 하지만 검은색 의례복이라는 건……."

"그래."

사무장 바레가 고개를 끄덕였다.

다크스라고 한 청년을 다시 가리키고는.

"루키로 데뷔하고서 약 9개월 후였지. 사상 최단기로 자

신의 팀을 수립. 첫 출진부터 신에게 승리했다. 현재 성적은 3승 1패. 단 1년 만에 우리 지부를 대표하는 팀을 만든 것이 이 남자다."

"네?! 신비법원에 가입하고 1년 만에 팀을?!"

"그래. 전대미문이지. ……사무장의 입장으로서는 도저히 승인하기 어려웠지만, 결과에 승복하고 말았지."

어쩔 수 없다는 듯이 사무장이 탄식한다.

"이 다크스라는 남자가 우리 지부의 에이스다."

"……괴, 굉장해. 마치……."

뭔가 말하려던 펄이 다급히 두 손으로 입을 막았다. 하지만. 무슨 말을 하려 했는지, 페이는 펄의 속마음이 훤히 들여다보였다.

마치 페이 씨 같다.

경우가 똑같았다. 루키로서 신에게 승리. 일약 그 지부를 대표할 정도로 주목받는다는 경우가.

신이었던 레셰에게도 겁먹지 않고 게임 지상주의라고도 할 수 있는 신념.

이렇게 괴짜이면서 상당한 실력을 지닌 루키가 설마 페이 이외에 있었을 줄이야.

"페이 테오 필스."

검은 의례복을 크게 펄럭인 사도 다크스가 한 발 앞으로 다가왔다.

"역시 우리는 서로의 운명에 이끌리는 존재인 모양이군!"

"……응?"

"네 싸움은 모두 지켜봤다. 거신 타이탄의 『신잡기』, 그리고 우로보로스의 『금지 단어』. 전부 훌륭했다고 칭찬해 주마."

"어? 아, 고마워."

갑자기 칭찬받았다.

어딘가 으스대는 것 같은 태도인 것이 신경 쓰이지만 아마도 본인의 성격일 것이다.

"칭찬은 고마운데, 나로서는 그 「서로의 운명에」라는 부분이 미묘한데……."

"그러니 제안하지. 내 팀에 들어와라."

"……응?"

무슨 말일까?

레셰와 펄도 옆에서 무슨 말인지 알 수 없다는 듯이 고개를 갸웃했다. 사무장 바레가만이 유일하게 큰 한숨을 내쉬고 있었다.

"나는 지금 전 세계에서 유력한 루키를 모으는 중이다. 이 자들을 뛰어넘기 위해!"

다크스가 돌아보았다.

그 눈빛이 올려다본 것은 중앙 사진에 찍힌 네 사도들.

"본부가 자랑하는 최강팀 「마인드 오버 마터」. 이 네 사람을 뛰어넘는 진정한 사상 최강의 팀을 결성해 신들의 놀이를 완전공략한다!"

다크스가 오른손을 내밀었다.

마치 영화의 한 장면처럼 과장된 몸짓으로.

"거신 타이탄의 게임에서 보인 냉정한 분석과 발상, 그리고 무한신 우로보로스의 게임에서 보인 불굴의 정신. 페이여, 너야말로 내가 바라던 팀의 최후의 조각이다!"

"……."

"나와 함께 가자. 사상의 최강팀 결성을 위해!"

조용해진 홀.

뜨거운 시선으로 이쪽을 바라보는 젊은 야심가와 똑바로 마주한 뒤.

"저기, 펠."

"아, 네?! 저, 저기……."

"이 도시의 사도는 정말 재밌는 녀석들이 많네."

먼저 표정을 푼 것은 페이 쪽이었다.

성천도시 마르 라의 지부에 오자마자 정반대의 두 요청을 받을 줄이야.

"부디 나를 부하로 삼아주었으면 한다!"

"내 팀에 들어와라!"

검은 머리 소녀 넬에게서는 팀에 넣어달라는 부탁을 받았고.

지부의 에이스 다크스에게서는 팀에 들어오라는 권유를 받았다.

"미안하지만."

레셰, 펄을 바라보았다.

두 사람의 시선을 받은 페이는 다크스에게 어깨를 으쓱였다.

"우리는 WGT를 위해 왔어. 그런 이야기를 하러 온 게 아니야."

"그런가."

"……어, 어라? 바로 받아들이는구나."

"내 볼일은 끝났다."

은발 청년은 뒤를 돌아 빠르게 떠나갔다.

너무나도 당황스러워서 거절한 페이 쪽이 맥이 빠졌을 정도.

"……정말이지, 재밌는 녀석이 많아. 이 지부엔."

그 뒷모습을 본 페이는 쓴웃음을 떠올렸다.

"포기했다는 표정이 아니었던 게 더 그렇고."

신비법원 마르 라 지부.

빌딩 12층의 게스트룸에서 내려다보이는 야경은 휘황찬란했다.

"어? 저 돔 모양의 거대한 건물, 저게 그 스타디움인가. 우리 게임의 관객 티켓이 7분 만에 매진됐다는."

"자, 페이! 기대하던 시간이야!"

으직.

잠가뒀을 문이 억지로 열리고, 탱크톱 차림을 한 레셰가 페이의 방으로 들어왔다.

"놀자!"

"저는 저녁밥을 만들어왔어요!"

보드게임을 든 레셰.

그 뒤로 저녁거리가 든 은색 쟁반을 든 펄의 모습도 보였다.

"내일은 도시 교류전이잖아요! 승리를 위해서 힘이 나는 음식을 만들어왔어요!"

"어? 고마워, 힘들지 않았어?"

"저는 요리가 특기거든요! 짠~!"

뚜껑을 연 순간 향긋한 열기가 피어올랐다.

"펄 특제 샌드위치예요. 두께 10센티미터의 주먹만한 햄

버그에 베이컨을 감아 치즈로 끼웠어요!"

"거의 고기밖에 없는데?!"

샌드위치라기보다는 햄버거.

아니, 오히려 고깃덩어리다. 너무나도 두꺼워서 씹을 수도 없을 것만 같았지만 펄은 무척이나 자신만만하게 가슴을 폈다.

"싸우기 위해선 체력. 그리고 체력이라면 바로 고기죠!"

"……채소는?"

"양배추 두 장을 넣었어요."

"굉장히 편중됐네! ……모처럼 만들어줬으니 먹을 거지만…… 어라?"

한입 베어 물고서.

"……의외로 괜찮네. 그보다 먹기 쉬워."

"흐흥! 그렇죠? 고기의 감칠맛은 살리고 블랙 페퍼와 정향이라는 향신료를 섞어 잡내와 느끼함을 지우는 게 포인트예요. 비법으로 건조 오렌지를 잘게 다져 넣는 것으로 청량감도 내봤어요."

"오, 의외의 활약이네."

페이도 솔직히 놀랐다.

확실히 처음 만났을 때 취미가 「영양 가득한 창작 요리」라고 말했던 기억이 있다. 설마 이 정도로 본격적일 줄이야.

"후후, 신선하네요. 페이 씨가 이렇게 칭찬해주다니."

부끄러운 듯이 펄이 미소 지었다.

"저, 레셰 씨, 저도 페이 씨한테서 칭찬받았……."

"……흥."

펄의 옆에서.

주홍색 머리 소녀는 험악한 눈빛을 숨기려 하지 않았다.

"그래, 그런 거였구나."

"……레셰 씨?"

"아까 뭘 그렇게 바쁜가 싶었더니, 역시 미란다의 말이 맞았어. 팀의 친밀도는 게임 밖에서 이루어져. ……그렇다면 펄, 역시 **노리고 있구나.**"

"노, 노노, 노리다니요?! 무, 뭐뭐, 뭘를요?!"

"동요하는 걸 보니 수상해."

"도, 동요하지 않았고, 누굴 노리지도 않았어요! 지금은 아직!"

"**……지금은 아직?**"

"말이 그렇다는 거라고요오오오오!"

순식간에 거실 구석으로 도망친 펄.

그러는가 싶더니 이번엔 레셰가 빙글 몸을 돌렸다.

"그리고 페이."

"윽?!"

자칫 샌드위치가 목에 걸릴 뻔했다.

"……아니, 레셰. 먹을 걸 만들어왔는데 거절하면 미안하잖아? 같은 팀원이기도 하고."

"응. 나도 잘 알아."

레셰의 차가운 눈빛.

"고대 마법 문명 시대부터 그랬어. 「남자란 풍만한 여성의 가슴과 그런 여성이 만드는 음식에 복종할 수밖에 없는 생물」이라고 현자들이 말했어."

"대체 무슨 현자야?!"

"……너도 음식을 잘하는 여자를 좋아하는구나?"

"내게 어떤 대답을 바라는 거야! ……아, 맞다!"

식은땀이 멈추지 않은 페이의 뇌리에 문득 떠오른 돌파구.

벽 근처 모니터를 가리키며.

"마침 너희에게 보여주고 싶은 게 있었어. 레셰, 저기 테이블에 리모컨이 있지? 모니터 좀 켜줘."

"이거?"

레셰가 리모컨을 눌렀다.

모니터에 나온 영상은 어떤 신들의 놀이 플레이 영상이었다.

"우리도 모레에는 마르 라 지부의 사도와 함께해야 하니 게임 플레이를 어떻게 하는지 봤어. 그랬더니 우연히……."

"앗?!"

펄이 괴상한 목소리를 내며 모니터를 가리켰다.

"이 검은 머리 여자, 본 적이 있어요!"

"그래. 우리를 역에서 기다렸다가 만나자마자 부하로 삼아달라고 부탁했던…… 넬 렉클리스였던가?"

사도였다고 자진 신고한 그녀.

그런 넬의 은퇴 전 게임이 비디오에 남아 있었다.

"조사해봤는데, 한 달 전에 퇴역했었어. 최종 성적은 3승 3패. 나쁘지 않지만, 딱히 굉장한 숫자는 아니지."

"네……."

"평범하게 우수해. 빈말이 아니라."

넬 렉클리스.

특기 장르는 순간적인 판단력과 재치를 살린 실시간 전략RTS 게임.

어라이즈가 초인형인 것도 어우러져 스포츠 계열 게임과도 상성이 좋다.

스포티한 육체와 선천적으로 높은 운동 능력으로 필드를 바람처럼 달리는 모습은 아름답기까지 했다.

"대장의 명령도 문제없이 수행하고 있고, 아군 지원에도 신경 써주고 있어."

3승 3패라는 특별할 것 없는 숫자.

페이는 그 성적을 액면가 그대로 받아들일 생각은 없다.

신 하나 VS 인간 다수가 펼치는 신들의 놀이에서는 우로보로스와 같은 상식 밖의 존재를 연속으로 만나는 극악한 불운이 겹치는 경우도 드물지 않기 때문이다.

"……페이 씨."

바닥에 털썩 앉아 있던 펄이 조심스럽게 고개를 들었다.

"넬 씨는 저와는 반대였던 걸까요?"

"……."

"저는 제 실패로 팀이 패배한 게 싫어서 은퇴하려고 했어요. 하지만 넬 씨는 그 반대로……."

넬의 세 번째 패배는 「서렌더^{항복}」였다.

넬은 게임 속행을 원했지만, 다른 팀원의 마음이 먼저 꺾이고 말았다.

"기다려주세요, 대장, 부대장! 게임은 끝나지 않았습니다. 우리는 아직 셋이나 남았잖아요!"

"부탁합니다! 전 이대로 끝내고 싶지 않―."

끝내고 싶지 않습니다.

그렇게 외치는 넬이 다수결로 정해진 항복이 수락되어 엘리먼츠에서 강제 퇴장. 영상은 거기서 끝났다.

"넬 씨, 미련이 남은 채 은퇴한 걸까요……."

"……그럴지도 모르지."

페이는 벽에 등을 기댄 자세로 살짝 숨을 내쉬었다.

이유가 있었다.

낮에 본 그녀가 그렇게까지 열의에 차있던 이유. 신들과 싸우는 일원으로서 게임에 참가하지 못하더라도 팀의 도움이 되는 일에 최선을 다하고 싶었다는 것을.

"……먼저 사정을 말해줘야지. 낮에 도망친 우리가 나쁜 것 같잖아."

자신도 모르게 쓴웃음이 나온다.

"다시 만나면 자세하게 이야기를 해보고 싶네……."

딩동.

바로 그때, 방의 인터폰이 울렸다.

"……? 바레가 사무장님일까요?"

자리에서 일어난 펄이 방문을 열었다.

"네, 누구세요."

"룸서비스입니다. 마실 것을 가져왔습니다."

그곳에 선 사람은 여자 사무원. 다만 선글라스와 마스크, 모자를 쓴 너무나도 수상한 인물이었다.

"꺄악?!"

비명을 지르는 펄.

"다, 당신은!"

"네? 저는 딱히 수상한 사람이 아닙니다."

"넬 씨잖아요!"

펄이 놀란 것은 수상해서 겁먹었기 때문이 아니다. 그 부자연스러운 변장 탓에 소녀의 정체가 너무나도 뻔했기 때문이었다.

변장으로도 숨길 수 없는 몸매와 큰 키.

모자 뒤로는 그녀의 특징인 윤기 있는 검은 머리카락이 엿보였다.

"……넬? 뭐 하는 거야?"

"……?!"

페이의 지적에 변장 소녀가 움찔 몸을 떨었다.

"그, 그게 누구인가요? 저, 저는 그런 사람이 아니라……."

"아니, 목소리로 알 수 있잖아."

"머리카락으로도 알 수 있어."

페이뿐만 아니라 레셰가 강조했다.

"크윽?! 이, 이런 실수를!"

변명 불가능. 그렇게 생각한 넬이 변장 도구를 그 자리에서 내던졌다. 그러더니 빙글 몸을 돌렸다.

"안녕히!"

"어, 어이?!"

페이가 말리기도 전에.

초인형 특유의 압도적인 각력으로 복도를 탄환처럼 질주해 도망쳤다.

"……이야기를 들어보고 싶었을 뿐인데."

신비법원 빌딩 11층.

"하아, 하아……."

벽에 손을 짚은 넬 렉클리스는 어깨를 크게 들썩였다.

"어째서 도망친 거지……."

신비법원 사무원 아르바이트.

페이 일행에게 접근할 절호의 기회였다. 낮에는 안 됐지만, 다시 자신을 팀에 넣어달라고 부탁할 생각이었는데.

"중요할 때 용기가 나지 않은 건가…… 나는……."

"너답지 않군. 너 정도 되는 자가 이런 한심한 꼴이라니."

뚜벅뚜벅 울리는 딱딱한 구둣발 소리.

넬이 돌아보자 검은 의례복을 입은 장신의 청년이 서 있었다.

"……다크스."

"넬."

과거 동기였던 남자가 이름을 불렀다.

"2년 전, 우리는 동기로 배속됐지. 나와 너, 둘 중 하나가 동기 중에 최고가 될 거라고, 그런 말을 들었다. 하지만 그 모습을 봐라."

넬은 3승 3패로 퇴역.

반면 다크스는 3승 1패.

지금은 지부를 대표하는 사도이다. 그가 설립한 팀은 지부의 대표가 되었고, 그런 그에게 프린스라는 찬사를 보내는 사람도 많다.

"나는 살아남고 너는 은퇴했다. 그 차이는 뭘까? 재능? 실력?"

"······마음대로 생각해."

"팀이다."

"윽!"

"너는 운이 나빴다. 동료 운이 말이야."

다크스가 뭔가를 던졌다.

그대로 날아가 넬의 손에 들어온 것은 금색으로 빛나는 얇은 카드키. 몇 번이고 보았다. 팀 「이 세계 폭풍우의 중심」의 멤버증.

이 청년이 리더를 맡은 팀이다.

"나는 네 실력과 지기 싫어하는 마음을 높이 평가해."

"······이미 몇 번이고 들었어."

"그래. 그러니 몇 번이고 말하지. 넬, 우리 팀에 들어와라. 분석반으로."

"······."

"언제까지 사무원 아르바이트를 계속할 셈이야?"

우수한 사도는 은퇴 후에도 일할 곳이 많다.

그중에서 인기 있는 것은 누가 뭐래도 현역 팀에 공헌하는 일.

우수한 애널리스트는 우수한 사도보다 귀하다. 그런 말이 있을 정도로 신들의 놀이를 공략할 때 꼭 필요한 인재다.

"네가 있으면 내 팀은 이상에 한 발짝 더 가까워져. 세계 최강의 팀에 말이다."

"사양한다."

넬의 대답에 망설임은 없었다.

"내가 원하는 건 페이 공의 팀이다. 그 이외의 어디에도 들어갈 생각은 없어."

"어째서지?"

다크스는 조금도 기분이 상한 것 같지 않았다.

권유를 거절당한다 해도 불쾌해지는 일은 절대로 없다. 그것이 이 남자의 미덕이자 그릇이라는 사실은 넬도 이미 알고 있었다.

그야말로 겉과 속 모두에 조금도 불순함이 없는 게임의 귀공자.

카리스마라고 하기에 어울리는 매력이 있다.

그러나.

"내 감이다. 나는…… 페이 공이야말로 내 이상을 실현할 남자라고 느꼈어."

자신이 끌린 것은 페이다.

무한신 우로보로스에게 도전한 게임 플레이를 보고서 그렇게 직감했다.

"그렇군. 그럼……."

다크스가 손바닥을 내밀었다.

"나와 내기 하나 하지."

"뭐?"

"내일 친선 시합이 있을 예정이다. 페이의 팀과 내 팀의 친선 시합이지. 도시끼리의 친목이 목적이기는 하지만, 이건 분명 나와 그의 진지한 대결이다."

자신감 넘치는 눈빛.

세계 최강팀을 뛰어넘겠다고 호언장담하는 남자가 넬을 똑바로 응시했다.

"내일 내가 진다면 네 눈이 정확했다고 인정하지. 항복의 표시로 네 부탁을 뭐든 한 가지 들어주마. 그러나 내가 페이에게 이기면……."

"……네 팀에 들어오라는 건가."

"그래."

페이가 아니라 다크스야말로 최고의 루키. 도시 교류전에서 그것이 증명되면 넬이 페이의 팀을 고집할 이유도 사라진다.

"내일 우리의 싸움을 지켜봐라, 넬."

검은 의례복을 펄럭이며.

넬이 대답하기도 전에, 다크스는 맑은 구두 소리와 함께 떠나갔다.

Player.3   친선 시합

1

신비법원 마르 라 지부.

빌딩 12층, 게스트 룸에서.

"……어라, 벌써 아침이야?"

창문으로 들어온 빛에 깨어난 페이는 하품을 참으며 일어났다.

트럼프를 쥔 채 바닥에 엎드려 잠들었다.

아무래도 철야로 게임하는 도중에 잠들어버린 모양이다.

"레셰? 펄?"

방 안 침대에는 그대로 쓰러져 잠이 든 소녀 둘. 이쪽도 자신과 똑같은 타이밍에 잠이 들었을 것이다.

"오늘은…… 이쪽 지부와 교류전인가……."

대전 상대는 다크스.

이곳 마르 라 지부의 에이스가 직접 교류전에 참가했다. 그 이야기를 들은 페이의 뇌리에 떠오른 것은 며칠 전 미란다 사무장의 한마디였다.

……지면 안 돼.

분명한 각 지부의 대표전. 서로의 존엄을 건 싸움이다.

"어떤 게임을 하게 되려나. 슬슬 일어나. 시합에 늦겠다."

"음……."

"……(새근새근)."

일어나지 않는다.

두 사람 모두 실로 행복해보이는 미소로 숙면 중.

"……더는 못 먹어요오."

"……좋아 ……한 번 더 겨뤄보자……."

"무슨 꿈을 꾸는지 알겠네. 야, 레셰, 일어나라니까."

어찌 됐든 3천 년이나 잔 과거가 있는 레셰다.

여기서 깨우지 않으면 가볍게 수십 년은 잠들지도 모른다.

"음……."

레셰가 살짝 움직였다.

아직 눈을 감은 채 몸을 돌려 엎드린 뒤 오른손을 천천히 뻗었다.

"아직이야…… 아직 포커 안 끝났어……."

"아직 꿈인가 보네."

"그럼, 레이즈!"

꿈속에서 코인을 건 모양이다.

그리고 레셰가 쥔 것은 산더미 같은 코인……이 아니라 옆에서 잠든 펄의 훌륭하게 솟은 풍만한 두 언덕이었다.

"으음…… 이 코인은……?"

"꺄아아악?!"

펄이 일어났다.

잠꼬대하는 레셰가 가슴 한쪽을 거머쥐자 그 온몸이 경련.

"어라? 이 코인 더미, 부드러워."

"레, 레셰 씨?! 이건 코인이…… 응…… 아, 아니에요오!"

"……그럼 이쪽."

"그, 그쪽도 아니에요오오오오!"

좌우 가슴을 동시에 붙들리자 펄이 울상이 됐다.

"도와줘요, 페이 씨! 소녀에게 위기가 닥쳐왔어요!"

"그럼 나 먼저 준비해둘까."

"못 본 척 도망치지 마세요오오오!"

2

성천도시 마르 라의 신비법원에서 도보로 약 10분.

페이 일행은 스타디움에 도착했다. 그곳 스태프 전용 통로에서.

"괴, 굉장한 함성이네요!"

옆을 걷던 펄이 주스가 든 캔을 두 손으로 꽉 쥐었다.

"스타디움이 만석이래요. 어, 어떻게 하죠?!"

"페이, 빨리 가자, 빨리!"

펄을 제치고 복도를 폴짝폴짝 뛰어가는 레셰.

"이렇게 큰 곳에서 어떤 게임을 하게 될까?!"

"그야 이렇게 넓으니, 마음껏 뛰어다니는 축구라든가 럭비같은 걸 하지 않을까? 아, 하지만 사람이 부족하구나. 그럼…… 응?"

페이는 무의식중에 발을 멈췄다.

스태프 전용 통로. 그 모퉁이에서 본 적 있는 검은 머리 소녀가 갑자기 빠른 속도로 달려왔기 때문이다.

"넬?"

"하아…… 하아…… 느, 늦지 않았어!"

어깨를 들썩이며 숨을 몰아쉬는 넬이 크게 심호흡했다.

페이와 펄, 그리고 레셰가 멍하니 바라보자.

"……페이 공."

넬이 고개를 들었다.

"이미 들었겠지만 지금부터 페이 공이 싸울 친선 시합의 상대는 다크스다……. 콧대 높지만 게임에 대한 천성의 후각은 진짜다. 설령 페이 공이라도 고전을 면치 못하겠지. 하지만……."

넬이 주먹을 쥐었다.

"하지만 이겨다오! 그렇지 않으면……."

"응?"

"……벌써 시간이 됐군. 어, 어쨌든 부탁해! 나도 관객석에서 응원하겠어!"

그리고 왔던 길로 돌아간다.

페이가 말을 걸기도 전에 넬은 달리며 그 자리를 떠났다.

"저 넬이라는 인간."

레셰가 중얼거리듯 입을 열었다.

"우리를 응원하러 온 거야?"

"그럴지도 모르지. 여전히 말은 서툰 모양이지만."

떠나간 모퉁이를 본 페이는 쓴웃음을 지었다.

"우리는 외지인이니 이런 친목 시합에서 적대시당해도 어쩔 수 없다고 생각했지만, 역시 응원해주는 건 고맙지."

"……그래."

레셰가 미소를 떠올렸다.

선명한 주홍색 머리카락을 펄럭이며 스타디움 무대로 발을 내디뎠다.

"자, 어떤 게임일까?"

시야가 순식간에 변하고.

쏟아지는 함성과 관객석을 가득 채운 시민들.

360도, 전방위를 둘러싼 관객석.

만 명 이상의 관중에게서 박수를 받는 것은 페이도 경험해보지 못한 일이었다.

"오. 게임이 긴장되는 건 아닌데, 이건 확실히 중압감이 있네."

"기다리다 지쳤다, 페이."

무대의 중앙에서.

검은 의례복을 입은 은발 청년이 서 있었다.

"지금부터 열리는 건 두 도시의 친선 시합. 그러나 나는 도시의 존엄을 짊어질 생각은 조금도 없다. 게임의 선수로 서, 나는 너와 영혼을 겨루는 싸움을 하러 왔다!"

"……."

"뭐지?"

"……아니, 뭐랄까. 이건 칭찬으로 들어줬으면 하는데."

팔짱을 낀 다크스에게 페이는 쓴웃음을 금할 수 없었다.

잘못된 인상이 있었다. 관중으로부터 절대적인 인기를 자랑하며 영화배우 같은 늠름한 풍모를 지녔으면서도.

"뜨거운걸. 좀 더 냉정한 녀석인가 싶었어."

"상대에 따라 다르지. 따라서 내 혼을 불태우는 플레이를 보여주마."

다크스가 대담하게 웃었다.

"그럼 게임 선택이다. 공평하기 위해 이 회장에 준비된 수천 가지 게임 중에서 랜덤으로 한 가지 게임이 선택되지."

그리고 손가락을 튕긴다.

"오퍼레이터, 선택된 게임을 기동해라!"

그 직후.

우웅, 하는 전자음과 함께 페이 일행의 발밑 바닥이 **새로이 칠해지기 시작했다.**

"……증강 현실 영상?"

현실 세계에 가상 영상을 덧입히는 기술이다.

이 무대에 들어왔을 때부터 신경 쓰이기는 했다.

축구나 야구와 같은 스타디움이라면 이곳 발밑의 그라운드는 잔디나 모래가 깔려있어야 할 터. 그러나 이곳은 새하얀 콘크리트로 된 무대였다.

"아, 그렇군. 이 무대 그 자체가 영상 스크린이었어."

페이 일행의 발밑이 AR 영상으로 가상의 무대로 변해갔다.

그렇게 나타난 것은 몇십 개의 바둑판무늬.

그것이 전부 금색, 은색, 붉은색 중 하나로 칠해져 구분되어 있었다.

"주사위 게임인가!"

스타디움의 무대가 통째로 엄청나게 커다란 주사위 판이 되었다.

게다가 페이 일행이 위를 올려다보자 AR 영상으로 만들어진 전자 보드에 빛으로 표시된 문자가 새겨졌다.

카드 전략 주사위 게임, 『Mind Arena』라고.

"아, 이거 본 적 있어요!"

표시된 게임 이름을 본 펄이 말했다.

"지부의 교류전에서 사용되는 게임 중 하나로 **주사위를**

굴리지 않고 나아가는 주사위 놀이라고 해요!"

페이도 게임 이름과 개요는 들어본 적이 있었다.

과거 신들의 놀이에서 실제로 열린 게임을 개량해 인간끼리도 즐길 수 있도록 만든 게임이 있다고.

그것이 바로 카드 전략 주사위 놀이 『Mind Arena』.

【기본 룰】

① 개요는 주사위 게임.

② 승리 조건은 두 가지. 어느 한쪽을 충족하면 게임에서 승리한다.

　승리 조건A : 44칸 너머의 골 지점에 도착할 것

　승리 조건B : 함정이나 마법 카드로 적 팀의 체력을 0으로 만들 것.

③ 초기 라이프는 각자 20. 5장의 마법 카드를 소지.

④ 플레이어는 게임 개시 시에 자신의 「직업」을 선택한다.

【게임 진행】

① 게임 시작 시 모든 플레이어는 1〜6까지의 수를 선택. (주사위 대신)

② 그 수가 큰 순으로 차례가 된다.

　(2명 이상이 같은 숫자를 낼 경우, 먼저 그 숫자를 고른 사람이 선행할 수 있음)

③ 행동 턴에는 두 가지 행동이 가능.

  A : ①에서 선택한 숫자만큼 나아가 멈춘 칸의 색에 따른
     효과를 받는다.

     은색 칸　: 마법 카드를 1장 뽑는다. (※)

     황금 칸　: 마법 카드를 2장 뽑는다. (※)

     적색 칸　: 함정 구역. 여기서 멈춘 플레이어는 큰
              대미지를 받는다.

              함정으로 받은 대미지는 경감할 수 없음.

     ※은색과 황금 칸은 두 사람 이상이 동시에 멈추면
     카드를 뽑을 수 없음.

     ※사용한 카드는 소멸되어 공통 봉인고에 격납된다.

  B : 마법 카드를 사용한다. (장수 제한 없음)

     백마법　　: 자신의 턴에만 사용할 수 있음.
              (상대 턴에서는 사용 불가)

     고속마법 : 언제든 사용할 수 있음. 다만 위력이 낮고
              사용 조건이 까다로움.

     비오의　　: 적합한 클래스만 사용할 수 있는 비장의
              카드.

④ 턴이 끝나면 다음 플레이어의 차례로 넘어간다.

⑤ 전원의 턴이 종료되면 페이즈 종료. 이것을 반복하며
  승리를 노린다.

"······그렇군. 나도 이 게임은 익숙하지 않지. 서로 대등한 대결인 셈이군."

만족스러운 듯이 끄덕이는 다크스.

"중요한 건 골 이외에도 승리 조건이 있다는 점이다. 골인하든가 상대의 라이프를 전부 깎든가. 어느 쪽이 유리할지는 상황에 달렸지만······."

다크스가 고개를 들어 전자 보드를 보았다.

거기에 새로운 정보가 표시됐다.

"들어본 적 있다. 이 게임에는 수많은 클래스가 있다고. 따라서 이 게임은 무한한 파생 버전이 존재한다지."

플레이어는 우선 클래스를 하나 선택한다.

그것이 이 게임의 첫 의사 결정이며 이후에 커다란 영향을 미친다.

【선택 클래스 : 이번에 고를 수 있는 것은 다음 네 가지】

마법사　　　: 공격 마법 사용 시 추가로 +1 대미지.

치유사　　　: 회복 마법 사용 시 추가로 +1의 라이프를 획득.

여행자　　　: 다이스 카드 사용 시 +1칸을 선택해도 됨. (최대 7칸 이동 가능)

함정 세공사　: 함정 칸 무효. 또한 자신이 밟은 함정을 강화할 수 있음.

『오퍼레이터에서 전달. 본 게임은 최대 8인 대전이 가능하지만 이번엔 심플한 2 VS 2로 진행합니다.』

"그러지!"

우레와 같은 함성이 울리는 와중, 다크스가 큰소리로 말했다.

"나는 우리 팀 템페스트 크루저에서 파트너를 한 명 고르지."

"……상대해드리겠습니다."

팔짱을 낀 다크스 옆으로 한 소녀가 섰다.

갈색 피부에 하늘색 머리카락을 나부끼는 산뜻한 소녀.

"켈리치 시, 입니다. 입장상 다크스의 부하에 해당합니다. 어째서인지 「부부 만담 콤비」라든가 「빨리 결혼해라」라는 말을 듣지만, 제게 다크스는 비즈니스상의 동료일 뿐 그 이외의 감정은 없습니다. 그 점은 오해하지 마시길."

"음, 가자. 켈리치."

"……"

"왜 그러지? 켈리치."

"……조금은 반응을…… 아니, 아무것도 아니에요."

켈리치라고 한 소녀가 어째서인지 한숨과 함께 고개를 저었다.

"계속하세요. 다크스."

"자, 페이!"

검은 코트를 펄럭인 다크스가 이쪽을 가리켰다.

"다음은 네 차례다. 네 파트너를 정해라!"

레셰나 펄.

페이가 돌아본 그곳엔 여유로운 미소를 짓고 있는 주홍색 머리의 소녀와 수많은 관중에 어색해 보이는 금발 소녀가 있었다.

"펄, 굉장히 긴장한 것처럼 보이네."

"꺅?! 어, 저, 저기! 저는…… 이번엔 사양할게요! 2 VS 2라면 페이 씨하고 레셰 씨가 손을 잡는 게 최강이잖아요!"

펄이 다급히 손을 저었다.

"지부의 친선 시합에서, 그렇게 중요한 일에 제가 나갔다가 지기라도 하면!"

"있지, 펄."

레셰의 가녀린 손가락이 금발 소녀의 어깨 위로 살며시 닿았다.

"……레셰 씨?"

"……."

펄이 돌아볼 것도 없이.

바로 옆에서 선명하게 타오르는 주홍색 머리를 나부끼는 레셰가 서 있었다.

그 옆모습에.

페이가 자신도 모르게 숨을 죽일 정도로 아름답고 어른

스러운 미소를 떠올리고서.

"너, 아직도 게임이 무서워?"

"……!"

펄의 온몸이 파르르 떨렸다.

깨달았다. 아니, 떠올렸다.

게임을 앞두고 겁먹는 것. 그것은 아직 인페르노 팀이었을 때 자신이 실패가 너무 분한 나머지 다시 실패해서 팀에 폐를 끼칠 바에야 은퇴하겠다고 생각한 시절과 똑같다.

여기서 위축되면 자신은 무엇 하나 변하지 않는다.

"큭!"

사랑스러운 펄의 눈동자에 빛이 깃들었다.

"……저는 이제, 게임이 무섭지 않아요!"

"힘낼 수 있어?"

"힘낼게요!"

"응."

레셰가 빙글 몸을 돌렸다.

그 순간.

순식간이지만 페이를 향해 윙크하고는.

"나는 응원할게. 페이하고 펄이 힘내봐."

"……네!"

주먹을 쥔 펄이 대답했다.

"지켜봐 주세요, 레셰 씨. 저는 반드시 이 게임에서 활약하겠어요!"

"호오?"

맞은편에 선 다크스가 그 말에 눈이 가늘어졌다.

"용신 레오레셰. 신이었지만 인간의 육신을 받은 자의 게임 플레이는 그야말로 「신의 수준」이라더군. 여기서 상대하기를 기대했지만…… 페이와 손발을 맞추는 건 너인가."

"저, 저를 우습게 보지 마세요!"

그런 다크스를 노려보는 펄이 가슴에 손을 얹었다.

"레셰 씨에 비하면 부족하다는 건 인정해요. 하지만 저도 페이 씨 팀의 일원. 그것을 증명하겠어요!"

참가 플레이어 결정.

페이 & 펄 팀 VS 다크스 & 켈리치 팀.

『오퍼레이터로부터 소형 통신 디바이스를 배포합니다. 게임 중 아군과 대화가 가능합니다.』

"앗, 멋져요!"

소형 마이크와 무선 이어폰을 장착한 펄의 눈이 반짝거렸다.

"아, 아…… 들리세요? 페이 씨."

"잘 들려. 이렇게 거대한 필드이니 평범하게 대화했다가는 대전 상대에게 작전이 훤히 들리겠지. 이건 그 대책인가."

뒤이어 오퍼레이터의 음성이 이어졌다.

『지금부터 마법 카드를 다섯 장씩 랜덤으로 배포합니다.

카드 정보는 아군과 공유할 수 있으니 디바이스를 활용해 대화를 해주세요.』

"굉장해요. 페이 씨. 저희 눈앞에……!"

펄이 흥분한 듯이 눈앞을 가리켰다.

영상화된 카드가 다섯 장씩, 페이와 펄의 앞에 투영됐다.

마법 카드가 다섯 장.

크게 구분해 공격, 회복, 특수의 세 종류.

예를 들어 「대화구」는 대상 플레이어에게 2점의 대미지를 준다.

이것이 펄이 손에 넣은 공격 마법이다. 마찬가지로 회복, 특수 등의 마법 카드가 배포되는데, 랜덤인 탓에 카드가 편중되기도 한다.

"……아니나 다를까 무척이나 편중됐네."

페이가 손에 넣은 구성은.

회복 세 장. 공격 한 장.

그리고 게임에서 비장의 수단이 될 수 있는 비오의 카드가 한 장.

……하지만 비오의 카드는 사용할 수 있는 클래스가 정해져 있어.

……내 카드도 마찬가지야. 이 카드를 사용할 수 있는 클래스로 할지 고민되네.

페이가 손에 넣은 비오의 카드는 「치유사」 전용 카드.

그러나 클래스를 치유사로 하면 비오의 카드가 비장의 수단이라고 자백하는 것이나 마찬가지.

"클래스 선택이 고민되네. 펄, 네 카드는?"

"제 카드 중에는 비오의 카드가 없어요."

다소 아쉬워하는 표정을 하는 펄.

마주하는 다크스와 켈리치 두 사람도 서로의 카드를 공유하고 있었다.

"……아, 하지만 페이 씨. 비오의 카드는 없지만 희귀한 고속 마법이 있어요."

펄이 자신의 카드를 가리켰다.

그 왼쪽 끝에 있는 카드 한 장.

"강한 카드인 것 같은데 쓰는 방법이 어려워 보여서……."

"뭔데? ……「자신의 라이프가 5 이하인 동시에 손에 든 카드가 한 장일 때만 발동 가능」이라니, 진짜 조건이 까다롭네?!"

펄이 가리킨 것은 「특수」에 해당하는 고속 마법 카드다.

초기 라이프가 20점, 손에 든 카드가 5장인 것을 고려하면 발동 조건이 상당히 빡빡하다.

……그런 만큼 효과는 상당히 재밌군.

……내 비오의 카드와 연계할 수 있으니 이걸 사용한 전략도 세울 수 있겠어.

그런 생각으로.

자신들의 카드를 고려해 클래스를 골랐다.

【선택 클래스 : 이번에 고를 수 있는 것은 다음 네 가지】
마법사　　　: 공격 마법 사용 시 추가로 +1 대미지.

치유사　　　: 회복 마법 사용 시 추가로 +1의 라이프를 획득.

여행자　　　: 주사위 카드 사용 시 +1칸을 선택해도 됨. (최대 7칸 이동 가능)

함정 세공사　: 함정 칸 무효. 또한 자신이 밟은 함정을 강화할 수 있음.

"얼핏 보면 능력이 심플한 게 마법사와 치유사군. 다시 말해 공격 특화와 마법 특화라는 거지? 그리고 응용의 폭이 넓어 보이는 게 여행자와 함정 세공사야. 나는 이 둘 중에 하나를 할까 하는데, 이 두 직업은 **완벽히 정반대네.**"

"네?"

펄이 멍한 표정으로 말을 이었다.

"마법사와 치유사가 반대인 건 저도 알겠는데요…… 여행자와 함정 세공사가 그렇게 다른가요?"

"그래. 문제가 많을 정도로 정반대야. 여행자와 치유사가 같은 그룹이고, 함정 세공사는 마법사와 같은 그룹이야."

"……?"

펄이 눈을 깜박인다.

여행자와 치유사가 같은 그룹?

거기에 함정 세공사와 마법사가 같은 그룹?

"페이 씨, 부디 설명을……."

"승리 계획 말이야. 여행자는 골에 빨리 도달할 수 있어. 치유사는 라이프를 지키니까 골에 도달해 승리하기 위한 능력이잖아? 그러니 이 두 직업은 「골에 도달해 승리한다」는 작전에 유리한 직업이지."

"……앗?! 그, 그러네요!"

"그것과 정반대인 직업이 마법사와 함정 세공사야."

알기 쉬운 것이 마법사다.

마법 카드의 대미지 업. 다시 말해 상대가 골에 도달하기 전에 라이프를 0으로 만드는 것.

함정 세공사도 마찬가지.

주목할 내용은 자신이 밟은 함정을 강화한다는 것. 이것은 분명 함정의 큰 대미지를 상대에게 주도록 의도된 능력이다.

"우리는 클래스를 정하기 전에 어떤 승리 계획을 세울지 정해야 해."

"……골인을 노린다면 치유사나 여행자이고, 상대를 쓰러뜨리려면 마법사나 함정 세공사라는 거군요?"

"그래. 거기에 우리의 카드를 보면……."

편중됐다.

압도적으로 회복 마법이 많다.

공격 마법이 적으니 상대의 라이프를 0으로 만들어 승리하기란 어렵다. 노려야 할 것은 주사위 놀이의 기본인 「골 지점에 도달해 승리」를 노리는 플랜.

……그게 정공법으로 보이는데.

……여행자와 치유사 클래스를 골라 골인을 노리자.

그러면서 페이가 바라보는 것은 말없이 이쪽을 응시하는 검은 코트 청년이다.

그 당당한 눈빛이 이야기하고 있었다.

……정말이지, 알기 쉬운 표정이네.

……느긋하게 골인 지점에 도달하는 승리를 고를 생각이 없나 보군.

상대의 생각은 명확하다.

그럼 이쪽이 선택할 것은.

"받아주지."

다크스, 그리고 켈리치.

성천도시 마르 라를 대표하는 두 사람을 향해 페이가 고개를 끄덕였다.

"나는 「여행자」다!"

"제, 제가 고른 건 「치유사」예요!"

"그렇군."

아크스가 만족스러운 듯이 끄덕였다.

"우리의 승리 계획을 알아차렸나. 그럼 이쪽도 말해주지. 내 클래스는 마법사다!"

"그리고 저도 마법사예요."

뒤이은 켈리치의 발표.

그 말을 들은 페이는 순간 자신의 귀를 의심했다.

"……양쪽 다 마법사라고?"

말도 안 된다.

다크스가 마법사를 고른 것은 이해한다.

그러나 페이는 켈리치가 함정 세공사를 고를 것이라고 예상했다.

클래스를 나누면 게임 플랜의 폭이 넓어진다. 그러나 이두 사람은 일부러 화력 특화로 전략을 좁힌 것이다.

……마법사는 완전히 화력 특화 클래스야.

……우리의 라이프를 0으로 만드는 것. 그것 이외의 승리 계획을 전부 버린 거잖아!

궁극의 살의다.

페이와 펄을 절대로 골인 지점에 보내주지 않겠다는 확실한 의사 표명.

『모든 플레이어의 클래스가 결정. 게임이 시작됩니다!』

오퍼레이터의 신호에 스타디움의 열기가 단번에 끓어올랐다.

일행의 앞에 나타난 주사위 카드.

1, 2, 3, 4, 5, 6. 숫자만 적힌 카드가 여섯 장.

"이게 주사위 대신인가. 「모든 플레이어가 동시에 1~6까지 원하는 숫자를 선택한다」라는 주사위 카드로군."

이 『Mind Arena』는 주사위를 사용하지 않는 주사위 게임이다.

1~6까지 원하는 숫자를 선언해 나아갈 수 있다.

상대보다 먼저 골인해야 하는 주사위 게임인 이상, 당연히 6을 선택하는 것이 좋은 것처럼 보이지만…….

"아아앗! 제, 제가 굉장한 걸 깨달았어요!"

펄이 버럭 소리쳤다.

그녀가 가리킨 것은 무대에 그려진 거대한 판이었다. 주사위 판이니 몇 칸 앞에 뭐가 있는지 전부 보였다.

1번 칸 : 함정 (여기서 멈추면 큰 대미지)

2번 칸 : 황금 칸 (카드를 두 장 뽑음)

3번 칸 : 은색 칸 (카드를 한 장 뽑음)

4번 칸 : 은색 칸

5번 칸 : 함정

6번 칸 : 은색 칸 (1턴째에 움직일 수 있는 최대치)

7번 칸 : 은색 칸

"6을 고르는 게 가장 좋지만 **저와 페이 씨가 동시에 6을 고르면 두 사람 모두 손해를 보게 되네요!**"

"……카드를 뽑을 수 없게 되니까."

기본 룰이다.

은색 칸과 황금 칸은 두 사람 이상 동시에 같은 칸에 멈추면 카드를 뽑을 수 없다.

페이와 펄이 골인 지점만 생각해 6칸 나아가면 같은 은색 칸에 멈추게 된다. 그러면 카드를 입수할 수 없다.

……이 주사위 놀이는 **골인 지점으로 가면서 카드를 모으는 게임.**

……그래서 숫자가 작은 칸에 황금 칸이 배치된 거로군.

6을 고르면 크게 앞서나가는 전진.

그러나 2에는 마법 카드를 두 장 뽑을 수 있는 황금 칸이 있다.

나아갈 것인가, 아니면 카드 보충을 우선시할 것인가.

게임이 시작되자마자 심리전이 강제된다.

『제1페이즈 개시. 전 플레이어, 주사위 카드를 뒤집어주세요.』

오퍼레이터의 목소리.

그것과 동시에 페이는 주사위 카드를 가리켰다.

"펄, 아까 정한 작전대로야! 우리는 빠르게 가자!"

"아, 네!"

자신들의 주사위 카드가 뒤집혀 뒷면이 보이도록 놓였다.

뒤이어 다크스, 켈리치의 주사위 카드도 뒤집어졌다.

게임 시작.

네 사람이 고른 주사위 카드가 차례차례 뒤집혔다.

페이 6, 다크스 6, 펄 4, 켈리치 2.

페이와 다크스의 숫자가 겹쳤다.

관객의 술렁이는 소리가 울리며 다크스가 자신만만하게 끄덕였다.

"역시 페이로군. 너라면 두려워하지 않고 6을 고르겠지. 골인 지점에 도달하기 위해 가장 큰 수를 고르는 것이 도리."

"서로 마찬가지잖아?"

주사위의 수가 큰 사람부터 순서대로 턴이 찾아온다.

……하지만 숫자가 중복된 경우 더 빨리 그 수를 고른 사람에게 선행권이 있어.

……리얼 타임의 판단력이 필요한 경기!

따라서 페이는 다크스보다 먼저 주사위 카드를 뒤집었다.

『주사위 눈이 중복. 선행 판정으로 턴은 페이, 다크스 순서가 됩니다.』

"그럼 내 턴이지."

펄에게 고개를 끄덕인 페이는 무대의 주사위 판을 걸었다.

6번째 칸인 은색 칸으로.

원래는 여기서 마법 카드를 뽑을 수 있지만, 다크스가

같은 칸을 골랐으니 카드를 뽑을 수 없다.

"페이."

갑자기 뒤에서 들려오는 다크스의 목소리.

"한 가지 묻지. **너는 정말로 거기면 되나?**"

"무슨 말이지?"

"딴청 부리긴. 네 클래스가 여행자라는 것을 내가 놓쳤을 것 같나?"

여행자. 주사위 카드 사용 시 +1칸을 고를 수 있다.

페이만은 7칸을 갈 수 있다.

7번 칸이 은색 칸이니 거기서 멈추면 마법 카드 한 장을 뽑을 수 있다.

하지만.

"나는 여행자 능력을 사용하지 않겠어."

"그렇겠지. 일부러 6에서 멈춰 **내가 카드를 손에 넣지 못하게 하려는 건가.**"

페이의 즉답.

반면 질문했던 다크스는 오히려 유쾌한 듯이 입가를 들어 올렸다.

"페이, 네 턴을 계속해라."

"물론이지."

광대한 스타디움의 주사위 판 위 6번 칸에서 멈췄다.

카드는 뽑을 수 없다.

따라서 남은 행동은 자신이 소유한 다섯 장의 카드를 사용할지이다.

"아, 맞다, 오퍼레이터. 이건 2 VS 2인 팀전이잖아. 팀원 중 한 명이 골인 지점에 도달하면 승리. 혹은 팀원 중 한 명의 라이프가 0이 되면 패배. 그렇다면 나와 펄은 운명 공동체다. 그렇다면 서로의 카드를 교환하는 것도 가능한가?"

"……인정할 수 없습니다."

그렇게 말한 것은.

조용히 턴을 지켜보던 갈색 소녀 켈리치.

"원칙적으로 플레이어의 카드는 고유 소유예요. 또한 카드 교환은 마법 카드에 비슷한 효과가 있는 게 있어요. 그것을 뽑으면 마음대로 하세요."

"알았어. 나도 시험 삼아 물어봤을 뿐이야."

고개를 살짝 끄덕이고는 잠시 생각에 잠겼다.

그 찰나의 순간. 펄에게 잠시 시선을 보낸 페이의 행동을 스타디움의 관객은 누구 하나 깨닫지 못했을 것이다.

"내 턴은 종료야. 마법 카드는 사용하지 않겠어."

"그렇다면 내 턴이군!"

뒤이어 다크스의 차례.

페이와 마찬가지로 6번 칸까지 나아가지만 은색 칸의 효과를 받아 카드를 뽑을 수 없다. 페이는 그대로 턴을 종료했지만.

"카드를 아껴뒀군, 페이. 그렇다면 나는 그 반대로 하지!"

다크스의 포효.

"내 턴! 내가 사용하는 건 마법사의 비오의 스펠이다!"

"가, 갑자기?!"

카드 중에서도 최상위에 해당하는 「비오의」.

최초의 랜덤 배포로 다크스는 이미 마법사의 비오의 카드를 뽑았다. 그 비장의 카드를 처음부터 공개한 것이다.

"보여주지, 나는 결계 마법 『열정의 리듬』을 영창한다!"

AR 영상으로 스타디움이 불꽃에 휩싸였다.

『열정의 리듬』.

모든 대미지 발생 시 1점의 대미지를 추가로 받는다.

단지 그것뿐이었다.

마법사의 비오의라면 더 무서운 특대 대미지를 줄 수 있을 터. 그렇게 각오했던 펄은 오히려 맥이 빠진 표정을 했다.

"……저, 저기이……."

펄이 조심스럽게 손을 들었다.

"내용을 확인할게요. 이 열정의 리듬이라는 카드로 추가 대미지를 받는 건 저희뿐인가요?"

"아니다."

"……네?"

"이 카드는 모든 플레이어가 대상. 다시 말해 내가 공격당하면 나 역시 추가 대미지를 받는다. 양날의 검인 효과지."

"네? 어, 어째서요!"

펄의 입이 무언가에 홀린 듯이 반쯤 벌어졌다.

어째서? 마법사는 적을 쓰러뜨려 승리하는 것이 특기. 그런데 자신까지 추가 대미지를 받는 카드를 발동한 이유는 무엇인가?

"내 턴은 이상이다."

"……앗. 아, 알겠어요! 그럼 제 턴이네요!"

주먹을 쥔 펄이 앞으로 걸어 나갔다.

주사위의 눈대로 네 칸을 나아가 그곳에 있는 은색 칸효과로 마법 카드를 한 장 획득.

이것으로 카드는 여섯 장.

"저도 카드는 아껴둘게요. 턴 엔드예요!"

"그럼 마지막은 제 차례네요. 어디."

술렁술렁.

스타디움에 모인 관객의 시선이 다크스의 파트너인 켈리치에게 집중했다.

"카드를 두 장 뽑을게요."

켈리치가 선택한 주사위 눈은 2.

바로 황금 칸이다.

……내가 여행자고 펄이 치유사.

……둘 다 골인 지점 도달에 적합한 클래스야.

따라서 항상 큰 주사위 눈을 골라야 한다.

페이는 주사위 6을 선택했고 펄은 4를 선택했다.

특히 후자인 펄은「페이가 6을 선택하리라 생각한 다크스가 숫자를 틀어 4를 선택할 것이라고(5는 함정 칸이니 회피)」판단해 선택한 4이다.

그러나 오히려 악수가 되고 말았다.

……우리의 행동은 상관하지 않아.

……켈리치의 전략은 철저하게 황금 칸을 노려 카드를 보충하려는 건가!

켈리치의 카드는 우리 중 제일 많은 일곱 장.

그리고 마법사 클래스는 화력 특화.

마법 카드를 긁어모아 공격 마법을 사용해 상대의 라이프를 깎을 생각이다.

"보여드리죠."

켈리치가 손을 높게 들었다.

눈앞에 떠오른 일곱 장의 카드를 가리키며.

"틀림없이, 이번에야말로 공격 마법이에요. 저는『쌍뇌격』을 영창. 페이와 펄, 당신들에게 1점씩 대미지를 줍니다."

"……뭐야, 1점인가요."

펄이 안도했다.

초기 라이프는 20점. 1점 대미지 정도는 별것 아니니…….

"아니, 그게 아니야."

"네?"

"……그렇군. 펄, 이거 큰일이야.『열정의 리듬』, 마법사의 비오의 카드는 상당하네."

이마에 식은땀이 흘렀다.

그 땀을 닦을 여유도 없이 페이는 머리 위 전자 보드를 올려다보았다.

『페이에게 **4점** 공격. 남은 라이프 16점.』

『펄에게 **4점** 공격. 남은 라이프 16점.』

"네에?! 이게 어떻게 된 거예요?! 아, 아니, 대미지 1점만 주는 마법 카드잖아요!"

펄이 두 손을 저으며 필사적으로 항의했다.

"계산이 틀렸다고요!"

"침착해. 펄. 대미지 계산은 정확해. 마법사는 대미지를 주면 1점의 추가 대미지가 있어. 거기에『열정의 리듬』대미지 1점이 추가돼."

"그, 그렇지만…… 그래도 3점이잖아요…….'"

"4점이야. **열정의 리듬 효과가 두 번 발생**한 거야. 공격 마법 대미지와 마법사의 대미지 각각에."

설명하자면 이렇다.

① : 쌍뇌격 1점 대미지.

② : 켈리치의 마법사 능력이 발동해 1점 추가. (합 2점)

③ : ①의 대미지를 트리거로 열정의 리듬이 발동해 1점 추가. (합 3점)

④ : ②의 대미지를 트리거로 열정의 리듬이 다시 발동해 1점 추가. (합 4점)

이『열정의 리듬』은 극악한 화력을 만들어내는 키 카드.

원래 쌍뇌격의 대미지는 합계 2점.

그러나 마법사의 능력과 어우러져 대미지는 모두 8점까지 폭발적으로 뛰어오른다.

"거기에 영구적이란 말이지. 방심하면 안 되겠어."

"……이런 기세로 라이프가 깎인다는 말인가요?!"

그 순간. 페이 일행에게 큰 대미지가 표시되자 몇 만 명의 관객들로부터 갈채가 쏟아져 스타디움이 뒤흔들렸다.

목청이 터져라 외치는「다크스!」연호가.

"으, 으앗! 역시 여기는 적지예요. 이 사람들 다들 저쪽을 응원한다고요!"

"그야 그렇겠지."

사무장 말로는 이 남자, 다크스는 성천도시 마르 라의 에이스 사도다.

도시의 자존심을 짊어진 영웅이 싸우는 이상, 페이 일행은 여기서 완전히 고립된 싸움을 벌이게 될 것은 자연스러운 흐름이다.

……우리가 대미지를 받아 다크스 쪽이 우위에 섰어.

……그야 관객들 분위기도 좋아지겠지.

예상했던 일이다.

"신경 쓰지 마. 게임을 즐길 거라면 아무래도 상관없잖아?"

게임에 집중하자.

그렇게 자신을 타이르려고 한 페이의 바로 뒤에서.

"히, 힘내라! 페이 공!"

관객석 제일 앞자리에서 주먹을 쥔 검은 머리 소녀가 있었다.

넬 렉클리스.

아까 스태프 통로를 달려간 소녀가 필사적으로 소리 높여 외쳤다.

"넬?"

"응원하겠다고 했잖아! 이렇게 많은 응원에 비하면 부족하지만 적어도 내가 페이 공의 싸움을 지켜볼 테니까!"

"……그래. 잘 알았어."

"뭐, 뭐가? 페이 공."

"독특하지만 좋은 녀석이구나. 고마워."

슬쩍 손을 흔들었다.

페이로서는 그저 별것 아닌 사례였지만.

"……하윽!"

"어라?! 넬?!"

기절했다.

넬은 가슴 언저리를 누르며 관객석 난간에 기대며 쓰러졌다.

"큭. 미, 미안하다, 페이 공. 갑작스러운 고백을 견디지 못하고……."

"내가 언제 고백했다는 거야?!"

"……흐음."

가만히. 무척이나 차가운 시선으로 이쪽을 바라보는 레셰가 어느 틈에 넬의 옆자리에 앉아 팔짱을 끼고 있었다.

어째서인지 무척이나 고압적인 눈빛으로.

"페이."

"……왜, 레셰."

"응원은 **내가** 할 거야. 이 **내가** 말이지. 그러니까 게임에 집중해줘."

"……넵."

생긋 미소 짓는 레셰.

반론을 허락하지 않는 그 눈빛을 등으로 받은 페이는 다시 앞을 바라보았다.

"자, 집중하자, 펄. 어째서인지 뒤에서 살기가 느껴지지만."

"아, 네! 하지만 저기…… 페이 씨, 저희 체력 말인데요."

펄이 우물쭈물한다.

역시 상대의 카드 한 장으로 갑자기 라이프의 20퍼센트나 줄었으니 어쩔 수 없다.

"아직 라이프에 여유는 있지만, 어쩌면…… 게임 초반부터 엄청나게 불리해진 것 아닌가요?"

"게임 초반이 아니야."

"네?"

"자칫하면 이미 중반이야. 이 정도의 화력이라면 은근히 전멸하기 쉬우니까."

"전혀 기쁘지 않은데요?!"

"……예상은 했지만 상당한 화력이군. 상대가 마법사의 비오의 카드를 뽑은 것을 포함해 흐름은 상당히 저쪽으로 기울어졌어."

스타디움의 그라운드를 통째로 사용한 드넓은 주사위 판.

페이가 바라보는 것은 아득히 먼 곳이다.

"골인까지 내가 38칸이고 펄이 40칸. 그렇다면 매번 6을 골라도 골인까지 7번 남았네."

상대는 화력 특화.

반면 그렇게 놔두지 않는 것이 페이 일행의 클래스다.

……펄의 클래스는 치유사야. 이 능력으로 큰 대미지를 중화하면 연명할 수 있어.

……내 여행자는 주사위 판을 고속으로 움직일 수 있지.

치유사로 라이프를 보존하면서.

그 사이에 여행자의 능력으로 빠르게 칸을 이동해 골인한다. 그 노림수를.

"가능할 거라고 생각하나요?"

다 안다는 듯이 갈색 소녀 켈리치가 그렇게 속삭였다.

"제 차례 아직 안 끝났어요. 저는 결계 『원망의 사슬』을 영창합니다."

『원망의 사슬.』

플레이어는 카드를 소비할 때 1점 대미지를 받는다.

"여, 여기서 결계 마법?! 어째서 마법 카드로 직접 공격하지 않는 건가요?!"

펄의 눈이 커졌다.

마법사의 능력은 적에게 대미지를 줄 때마다 1점의 추가 대미지를 준다. 방금 본 것처럼 『열정의 리듬』과 겹치는 것만으로 큰 대미지가 된다.

그러나 상대가 고른 것은 결계 마법 중첩.

그것이 오히려 불온하게 느껴졌다.

"금방 알 거예요. 저는 다섯 장의 카드를 남기고 턴 종료입니다."

켈리치가 담담하게 종료 선언.

"이번 제1페이즈, 서로 전략이 갈라졌군."

다크스가 자신만만한 미소를 떠올리며 말을 이었다.

"페이여, 너희의 목표는 빠르게 골인 지점 도달이다. 반면 나와 켈리치는 최대 화력으로 빠르게 격파다!"

제1페이즈, 종료.

페이　 : 라이프 16점, 카드 5장, 현재 지점 6.
　　　　　 (골까지 38칸)

펄　　 : 라이프 16점, 카드 6장, 현재 지점 4.

다크스 : 라이프 20점, 카드 4장, 현재 지점 6.

켈리치 : 라이프 20점, 카드 5장, 현재 지점 2.

……총합 라이프에서 8점 차이군.

……하지만 카드는 나와 펄이 열한 장, 상대가 아홉 장. 그건 앞서는군.

이쪽은 카드를 아끼고 있다.

이 게임은 카드의 수가 전술의 폭과 직결한다. 아직 카드를 한 장도 사용하지 않은 이상 상대도 이쪽의 노림수를 완벽하게 파악하지는 않았을 터.

……이 게임은 운 요소가 적어.

……승패를 가리는 건 전술이야. 전술의 우열이 그대로 라이프 차이로 드러나지.

그렇다면 전술의 우열은 무엇으로 정해지는가?

답은 예측. 카드 수와 주사위 눈으로 어느 쪽이 더 정확하게 상대의 노림수를 파악하고 고도의 대항 수단을 마련

할 수 있는가에 달렸다.

　……그러니 절대로 들켜선 안 돼.

　……**나와 펼의 노림수는 처음부터 한 가지밖에 없으니까.**

단 하나의 전술.

여행자와 치유사 클래스를 골랐을 때부터 이미 각오해두었다.

"펼."

옆에 선 소녀에게 살짝 작은 목소리로 말을 걸었다.

"어떤 카드 게임일지라도 공통된 궁극의 테크닉이 있어. 알고 있어?"

"네? 뭐, 뭔데요?"

"**카드를 전부 사용하지 않을 것.** 도움이 되지 않는 카드라도 좋으니 사용하지 않고 한 장은 남겨둬. 블러프용으로 말이야."

비장의 수단은 남겨두는 법.

아무리 궁지에 빠졌다 해도 마지막 한 장으로 대역전의 가능성이 있다, 그 심리를 이용한 허실을 성립하기 위해 카드는 반드시 남겨둬야 한다.

"반대로 말하자면 한 장 이외에는 주저하지 말고 사용해. 마법사 두 사람을 상대로 아꼈다간 우리의 라이프가 먼저 떨어질 거야."

"아, 알겠어요!"

게임은 제2페이즈로.

우선 플레이어 네 사람이 주사위 카드를 선택할 차례.

지금 위치는 두 번째 칸에 켈리치. 네 번째 칸에 펄. 여섯 번째 칸에 페이와 다크스.

8번 칸 : 황금 칸 (켈리치가 도달할 수 있는 최대치)

9번 칸 : 은색 칸

10번 칸 : 은색 칸 (펄이 도달할 수 있는 최대치)

11번 칸 : 함정

12번 칸 : 은색 칸

　　　　　　(페이와 다크스가 도달할 수 있는 최대치)

『제2페이즈 개시. 주사위 카드를 선택해주세요.』

"펄!"

옆에 선 파트너에게 페이가 외쳤다.

"망설이지 마! **없애!**"

"네!"

모든 플레이어의 주사위 카드, 오픈.

네 사람이 고른 숫자에 관객이 술렁였다.

다크스 6, 켈리치 6, 페이 6, 펄 4. (개시 순서대로)

페이와 다크스가 다시 은색 칸에서 상쇄.

그러나 진짜로 주목해야 할 것은 후자.

이전 턴에서 4를 고른 펄이 4. 이전 턴에서 2를 고른 켈리치가 6.

다시 말해 합계 8번 칸. 펄과 켈리치가 같은 황금 칸에 서게 됐다. 우연이 아니다. 분명히 의도한 상쇄다.

"……."

갈색 소녀의 눈썹이 움찔거렸다.

물처럼 산뜻한 눈빛이 여기서 살짝 흔들렸다.

"노렸군요. 제가 황금 칸을 모조리 노리는 걸 보고 같은 칸을 골라 카드 보충을 막을 생각인가요."

"다, 당연하죠!"

켈리치를 노려보는 펄.

"마법사의 위력은 위협적이지만 마법 카드가 없으면 사용할 수 없어요. 당신이 황금 칸을 노린다는 건 이미 알고 있어요!"

페이와 다크스가 12번 은색 칸.

펄과 켈리치가 8번 황금 칸.

양쪽 모두 칸이 겹쳐 카드를 입수할 수 없다. 들고 있는 카드를 사용하다 보면 언젠가 전부 떨어질 것이다.

이것으로 게임은 골인 지점 도달을 노리는 페이와 펄에게 유리하게 기울어졌다.

"그럼 이쪽도 전략을 바꾸겠어요. 선언하죠. 저는 다음부터 금색 칸을 노리지 않겠어요."

"······뭐라고요?"

"다음부터 제가 노리는 칸을 모르겠죠? 의도적으로 같은 칸을 선택할 수 없는 이상, 제 카드 입수를 방해할 수 없어요."

"······그, 그런 심리전에는 넘어가지 않을 거예요!"

펄이 어금니를 깨물었다.

상대의 말에 넘어가지 않겠노라 자신을 다그치듯 한 손을 들어 올리며.

"저도 공격하겠어요! 고속 마법 『펄 파이어』로!"

펄 파이어?

페이, 다크스, 켈리치. 그리고 관객들이 일제히 고개를 갸웃했다.

그런 카드가 있었던가?

"저기, 펄. 그건······."

"고속 마법은 언제든지 사용할 수 있는 편리 마법이에요! 설령 상대의 턴이라 해도 사용할 수 있으니 기습에 최적이죠!"

"아니, 그건 아는데 내가 묻고 싶은 건······."

질문하는 페이의 눈앞에서 펄의 가리킨 카드가 뒤집혀 모습을 드러냈다.

메가 플레임
대화구.

대상 플레이어에게 2점 대미지를 준다고 적힌 카드가.

"카드 이름이 다르잖아?!"

"아니요, 페이 씨. 이건 펄 파이어예요. 메가 플레임이라는 엉성한 이름으로는 저를 만족시킬 수 없어요!"

"아니, 멋짐의 문제가 아니라 동료인 나까지 알 수 없어서 곤란—."

"그렇게 됐으니, 펄 파이어!"

입체 영상 불꽃이 뿜어졌다.

다크스에게 3점 대미지.

"흐흠? 어때요, 페이 씨. 2점을 주는 메가 플레임도 펄 파이어라고 불러주면 대미지가 올라요!"

"단순히 열정의 리듬 효과로 추가 대미지가 들어간 거잖아. 그리고 펄, 알고 있겠지만 너도 2점 대미지를 받는다."

"네?"

순간 펄의 눈앞에 불꽃이 솟구쳤다.

"꺄악?! 뭐, 뭔가요!"

결계 마법 『원념의 사슬』, 발동.

카드 사용을 사용한 계기로 펄 자신도 1점 대미지를 받는다.

이 대미지 발생을 계기로 『열정의 리듬』이 추가로 1점.

"어, 어떻게 하죠?! 저는…… 라이프를 지켜야 하는데 또 2점이나 잃었어요!"

"……잊고 있었구나."

『원념의 사슬』과 『열정의 리듬』.

이 두 가지 효과가 있는 이상 **카드를 소비할 때마다 2점 대미지가 발생**한다.

마법사의 화력에 대항하기 위해 이쪽도 반격하면 점점 자신의 라이프가 줄어들게 된다.

"아, 그렇군. 카드를 사용할 때마다 2점 대미지라면 라이프를 2점 회복하는 마법을 사용해도 결국 아무런 효과가 없네. 1점 회복이라면 오히려 역효과야."

"앗?! 치유사 카운터잖아요!"

"펄, 너도 저런 결계 마법 없어? 예를 들어 카드를 뽑을 때마다 라이프를 회복한다던지?"

"……없어요."

펄이 어금니를 깨물었다.

"페이 씨는요?"

"나도 그래."

페이의 카드는 다섯 장.

바로 사용할 수 있는 회복 카드 세 장, 그리고 **발동할 수 없는 카드가 두 장.**

……나와 펄은 결계 마법이 없어.

……가능하면 상대의 결계 중 하나는 없애고 싶은데.

특히나 성가신 것은 『열정의 리듬』이다.

마법사의 비오의인만큼, 이쪽이 예상한 대미지 계산이 크게 틀어진다.

"우리 차례군요."

켈리치의 시선이 더욱 날카로워졌다.

"펄, 당신의 고속 마법이 끼어들었지만 이제부터는 주사위 카드의 크기 순서대로 턴이 돌아갈 거예요."

주사위 카드의 숫자가 큰 순서대로 턴이 돌아간다.

같은 숫자라면 더 빨리 선택한 사람에게 선행권이 주어지는 리얼 타임 전략 게임.

순서는 다크스 6, 켈리치 6, 페이 6, 펄 4인 순서.

"내 차례다!"

주사위 카드대로 여섯 칸을 진행해 12번 칸에 도달.

그리고 다크스가 자신의 카드를 가리켰다.

"펄이라고 했나. 네게서 받은 고통을 그대로 되돌려주지. 나는 『다크스 선더』를 영창한다!"

다크스 선더?

이번에도 들어본 적 없는 카드 이름이 등장했다. 페이와 펄이 모르는 것은 물론, 관객들조차 당황한 듯이 술렁였다.

"······대폭설이에요. 정식 명칭." _{블리자드}

파트너 소녀 켈리치가 기어들어가는 목소리로 그렇게 속삭였다.

부끄러운지 붉어진 얼굴로.

"아마도 펄 파이어에 대한 대항심일 거예요······ 다크스는 지기 싫어하니까요."

"펄."

단호히.

다크스의 뜨거운 시선이 금발 소녀에게 향했다.

"놀랍군. 대담하게도 처음 플레이하는 『Mind Arena』에서 카드에 자신의 이름을 붙일 줄이야. 그 보기 드문 아이디어, 훌륭하다고 칭찬해주지."

"그렇죠?!"

"그렇다면 나도 받아주마. 나는 이 카드를 「다크스 선더」라고 명명한다!"

경쟁한다고?

그리고 선더 어디서 온 거야?!

그런 페이의 작은 중얼거림은 스타디움의 함성에 지워졌다.

다크스 선더(※블리자드)는 대미지 3점. 마법사의 능력, 그리고 열정의 리듬 효과가 더해진다.

라이프 14인 펄에게 합계 6 대미지.

"앗, 제 체력이 벌써 8점밖에 안 남았잖아요?! 아직 시작하고 2턴밖에 안 됐는데…… 이래선 계속해서 내몰릴지도 몰라요……."

"내몰린다고요? 아니요, 여기서 끝낼 생각이에요."

켈리치가 움직였다.

주사위 카드대로 여섯 칸 나아가 황금 칸에.

"제 턴. 백마법『하늘의 진뢰』를 영창. 카드 코스트로 제가 1점을 받는(열정의 리듬, 원념의 사슬이 더해져 4점) 대신, 대전 상대에게도 4점 대미지예요. 여기에 마법사와 열정의 리듬이 더해져 합계 7점. 펄, 당신의 남은 라이프는 1이 됩니다."

"제, 제게는 고속 마법이 있어요!"

펄이 외쳤다.

"회복 마법『부를 희망으로』! 제가 가진 카드 한 장을 게임에서 제외합니다. 거기에 들고 있는 카드 수(제외 이전)×2까지의 대미지를 감소시킵니다. 이걸로 8점까지 대미지를 감소. 거기에 제 클래스는 치유사이니 합계 9점까지의 대미지라면……."

"걸렸군요."

"네?"

"……고속 마법『과욕의 대가』, 발동."

검은 코트를 펄럭이는 청년의 위엄 있는 목소리.

"상대가 회복 마법을 영창할 때만 발동 가능, 그 회복을 무효화한다."

"……?!"

"일부러 카드를 사용하게 한 거예요."

다크스의 말을 갈색 소녀 켈리치가 이었다.

"당신의 마법은 무효화됐어요. 이걸로 저의 7점 대미지가 들어가 당신의 라이프는 1. 거기에 당신이 『부를 희망으로』를 발동했으니 결계 마법 『원념의 사슬』이 발동. 당신은 추가로 라이프 2점을 잃어요."

일부러 회복 마법을 소비하게 했다.

그 카드 소비를 계기로 『원념의 사슬』이 발동. 펄에게 남아 있던 라이프를 0까지 깎는다.

그렇게 되면 펄은 라이프 0이 되어 탈락한다.

"아니면 펄. 남은 세 장의 카드 중에 아직 고속 마법이 남아 있나요?"

"……그, 그건……!"

"없으면 끝이네요."

재판관처럼 상대의 패배를 선언하는 갈색 소녀.

"『원념의 사슬』로 2점의 대미지를 받았으니, 펄, 당신의 체력은……."

"서두르지 마."

그 판결을.

페이는 자신의 카드를 가리켜 뒤집었다.

"펄의 카드 중에는 없다 해도 나까지 없다고는 할 수 없잖아? 고속 마법 『마음에 붕대를』 발동. 대상 플레이어의 대미지를 2점 감소한다!"

"……방해를!"

"이렇게 빨리 게임이 끝나면 재미없잖아?"

펄의 남은 라이프 1점.

치명상에서 아슬아슬하게 생환했다.

……알고 있었지만, 상대의 전술은 화력 특화형.

……펄을 집중 공격하는 건 당연하지. 성가시지만 타당한 전술이야.

이 게임의 승리 조건은 두 가지.

아군 **누군가**가 골인 지점에 도착하거나, 상대 **누군가**의 라이프를 0으로 만드는 것.

따라서 라이프를 0으로 만들 표적은 펄 한 명이면 충분하다.

"페이, 이곳에서는 아군을 돕는 행위가 자신에게 해가 된다는 사실을 잊지 마라!"

다크스가 손가락을 뻗었다.

"네가 카드를 소비해 결계 마법 『원념의 사슬』이 발동. 열정의 리듬과 합쳐 대미지 2를 받는다! 네 라이프는 이제 14 남았다."

"그래, 바라는 바다."

페이의 턴.

여섯 칸 이동해 다크스가 선 칸에 도착.

"지금 내가 입은 대미지를 바탕으로 공격 마법 『천군의 검』을 영창한다!"

천군의 검.

자신이 대미지를 입었을 때 발동 가능한 공격 마법. 상대에게 5점의 대미지를 준다.

"다크스, 총 5점 대미지를 받아라."

"……뭐라고요?!"

켈리치의 눈이 커졌다.

"설마 방금 회복 마법은 거기까지 계산해서……."

그렇다.

이 『천군의 검』은 원래 페이가 지닌 카드 중에서는 **사용할 수 없는 카드**였다.

자신이 대미지를 받을 경우에만 발동 가능한 마법. 그리고 다크스와 켈리치는 계속해서 펄만을 공격했다.

따라서 공격받지 않은 페이는 이 카드를 영원히 쓸 수 없을 터였다.

"『천군의 검』은 공격을 받았을 때 사용하는 반격용 마법. 설마 『원념의 사슬』의 대미지를 이용해 『천군의 검』을 영창하다니…… 이런 상황이라면 펄을 돕는 회복 마법만을 생각하기도 벅찰 텐데."

목소리를 억누른 켈리치.

"……그럼 페이, 턴을 종료할 건가요?"

"아니. 이번 턴에 하나 더, 백마법 『혼의 희생』을 사용한다. 내 카드 중에 필요 없는 카드를 한 장 버린다. 『혼의 희생』과 합쳐 두 장을 행어에 격납하는 것으로 우리 두 사람의 라이프를 3점 회복한다."

집중포화를 받은 펄.

그렇다면 전략은 단순. 이쪽도 펄만 회복시키면 된다. 그리고 페이의 턴이 끝난 뒤 펄의 턴에서도 회복해준다.

"제 턴이에요!"

펄이 네 칸 앞의 황금 칸까지 걸어가 켈리치와 나란히 섰다.

펄의 카드는 세 장.

고속 마법은 없지만 자신의 턴에만 사용할 수 있는 백마법이 남아 있다.

"저는 백마법 『오아시스의 물』을 영창해 라이프를 4점 회복할게요. 그리고 치유사의 능력을 더해 모두 5점이에요! 이걸 두 장 사용할게요!"

다만 이 카드 소비에도 『원념의 사슬』, 『열정의 리듬』이 발동한다.

두 장 사용한 회복 합산은 총 6점.

"행동 종료예요!"

제2페이즈, 종료.

페이   : 라이프 13점, 카드 1장, 현재 지점 12.
           (골까지 32칸)

펄   : 라이프 10점, 카드 1장, 현재 지점 8.

다크스 : 라이프 7점, 카드 2장, 현재 지점 12.

켈리치 : 라이프 16점, 카드 4장, 현재 지점 8.

살아남았다.

그리고 골인 지점에 조금 더 다가갔다.

……하지만 우리의 상황은 나빠졌어.

……특히 소유한 카드의 수를 역전당한 건 너무 커.

얼핏 보면.

다크스의 체력이 낮아진 것처럼 보이지만, 페이 일행의 남은 카드는 2장인 반면 상대는 6장을 보유하고 있다.

……다크스의 체력이 적은 건 함정이야. 십중팔구 회복 마법을 갖고 있겠지.

……실질적으로 남은 체력은 10, 아니, 13 이상으로 생각해둬야겠군.

따라서 보이지 않는 부분의 차이는 상당해졌다.

상대는 비장의 카드를 적어도 두세 장은 남기고 있을 것이다. 반면 이쪽은 다음 턴에 펄의 체력이 모두 깎일 가능성이 있다.

"알아차린 모양이군. 카드의 차이는 분명하다."

다크스의 입가가 씩 올라갔다.

"페이여, 골인할 수 있을 것이라 생각하지 마라. 이번 제3페이즈가 우리의 승패를 가르는 분기점이다!"

현재 지점, 8번 칸에 펄, 켈리치, 12번 칸에 페이, 다크스.

13번 칸 : 은색 칸

14번 칸 : 황금 칸(펄과 켈리치가 갈 수 있는 최대치)

15번 칸 : 은색 칸

16번 칸 : 함정

17번 칸 : 은색 칸

18번 칸 : 은색 칸(페이와 다크스가 갈 수 있는 최대치)

19번 칸 : 황금 칸

『제3페이즈로 이행. 주사위 카드를 선택해주세요.』

"펄!"

파트너를 돌아본 페이가 소리쳤다.

"우리는 우리가 정한 승리 루트를 노린다! 처음부터 끝까지!"

"물론이에요!"

주사위 카드, 오픈.

펄 6, 페이 6, 켈리치 5, 그리고 다크스 4.

스타디움이 술렁였다.

다크스 때문인 것은 분명하다.

여기서 처음으로 6 이외 숫자를 선택했으니까? 물론 그것도 있지만.

"······설마?!"

펄이 다크스의 주사위 카드를 몇 번이고 확인했다.

자신의 눈을 의심했으리라. 그것은 페이도 마찬가지였다. 아니, 이 남자라면 시도하리라는 예감은 있었다.

······여기서 보여주겠다는 건가.

······진짜로 이번 턴에 끝을 낼 생각이야!

"이게 어떻게 된 거예요?!"

이마에 구슬땀이 맺힌 펄.

그 눈빛이 향한 곳에는 위풍당당하게 팔짱을 낀 다크스의 모습이 있었다.

"네 칸 앞은 함정이 있잖아요! ······스스로 함정을 밟아 대미지를 받을 생각인가요?"

페이가 도착한 곳은 은색 칸(18번 칸).

펄은 황금 칸(14번 칸).

켈리치는 은색 칸(13번 칸).

그리고 다크스가 나아간 곳은 함정 칸(16번 칸)이었다.

"곧 알게 될 거다."

펄에게 다크스가 예리한 시선을 보냈다.

"자, 주사위 카드가 큰 너희가 먼저다."

"그, 그럼 제 턴이네요!"

펄이 주사위 판을 힘차게 걸었다.

그 순간, 후방의 켈리치를 훔쳐본 것은 그녀가 무엇을

노리는지 알 수 없었기 때문이다.

카드 보충을 위해서는 금색 칸이 최적. 그래서 그것을 막을 의도로 켈리치도 6을 꺼낼 것이다. 그 예측을 알고 있었다는 듯이 피해 갔다.

거기에 대기하고 있는 다크스도 무척이나 불길하다.

"저는 황금 칸에서 카드 두 장을 받아 한 장을 사용할게요. 대마법『펄 배리어!』를 발동!"

이번에도.

스타디움에 있는 모두의 속마음이 완벽하게 일치했다.

"펄…… 일단 물어보겠는데 정식 명칭 아니지?"

"『칠흑의 장막』이라고 해요. 앞으로 제가 받는 마법 하나를 무효화할 수 있어요! 이걸로 저는 턴을 종료할게요."

"동료까지 혼란스럽게 하면 어떡해…… 뭐, 됐어. 다음은 내 턴이지."

페이가 도착한 곳은 은색 칸.

여기서 처음으로 여행자의 능력을 활용할 수 있다.

"나는 여행자의 능력을 여기서 사용한다. 자신이 고른 주사위 카드에 +1칸. 이걸로 총 일곱 칸 나아가겠어."

일곱 칸 너머는 황금 칸.

펄과 마찬가지로 카드 두 장을 뽑았으니 소지한 카드는 세 장이 됐다.

"턴 종료다."

"카드를 아끼셨군요. 우리를 경계하시네요."

그렇게 말한 것은 다음 차례인 켈리치.

"펄, 당신의 마법도 대비용으로는 정답입니다. 후공을 고른 저와 다크스가 뭔가 시도할 것이라 생각한 거겠죠. 하지만 그거로는 아직 부족해요."

갈색 소녀가 발소리를 울리며 주사위 판을 걸었다.

은색 칸에서 멈춰 카드를 한 장 뽑는다.

"아무리 대비해도 이미 승패는 정해져 있습니다."

그 가녀린 손가락으로 카드를 가리키며.

"저는 메가 플레임을 영창."

"앗! 내 펄 파이어를?!"

"메가 플레임이에요."

펄의 호소는 무시당했다.

"대상은 물론 당신."

"그, 그럴 줄 알았어요! 하지만 제가 펄 배리어를 전개한 걸 잊으면 곤란하죠!"

"칠흑의 장막이라면 그것도 계산해뒀습니다."

두 가지 마법이 소멸.

켈리치는 그 영상에 눈길도 주지 않고 자신의 카드만 바라보았다.

"제 카드는 네 장. 여기서 『절대 평등 자본』을 영창합니다. 모든 플레이어는 카드가 4장이 될 때까지 카드를 뽑거나 네 장이 될 때까지 카드를 버려주세요."

"어?! 그, 그게 어떻게 된 거예요?"

"당신들은 카드가 네 장이 될 때까지 카드를 뽑으시면 돼요. 마지막으로 저는 이 시한 마법을 세팅합니다."

켈리치의 카드 한 장이 엎어진 채로 필드 중앙으로 이동.

시한 마법 『???』.

페이즈 종료 시에 개시, 발동한다. 효과 불명.

효과는 불명.

그러나 한 가지 명확한 것은 「함정을 설치했다」고 자백하는 것이나 마찬가지. 상대에게 준비 시간을 주는 대신 그것을 넘을 강력한 효과일 것이라 예측할 수 있다.

……그리고 켈리치의 저 자신만만한 태도.

……우리의 라이프를 0으로 만들 수 있는 강력한 효과인가?

그때.

그런 페이와 펄 앞에서 켈리치가 담담하게 입을 열었다.

"펄."

"왜, 왜요?!"

"제가 영창한 『절대 평등 자본』으로 우리는 총 세 장, 당신들도 총 세 장의 카드가 늘어났어요. 상황은 변하지 않는다고 생각하겠죠? 하지만 바로 이해할 거예요."

이미 세 사람의 턴이 끝났다.

남은 것은.

"내 턴이군."

다크스가 코트를 크게 펄럭이며 당당히 앞으로 나아갔다.

붉게 칠해진 함정 칸으로.

"마법 카드를 입수할 수 없고 자신은 큰 대미지를 받는다. 그래서 **이곳**은 손실밖에 없는 칸이라고 생각하겠지?"

장신의 청년이 돌아보았다.

"이 『Mind Arena』는 플레이어가 원하는 주사위 눈을 고를 수 있지. 자신의 의사로 함정을 회피할 수 있는 만큼, 밟았을 때의 페널티는 크다."

그 목소리에 담긴 승리를 향한 자신감.

"내 라이프는 7점. 그리고 함정 대미지도 7점. 내가 이대로 함정 대미지를 받으면 패배…… 그러나 나는 고속 마법 『더블 트랩』으로 함정 대미지를 받는 사람을 변경한다!"

"앗?!"

"그렇게 나오겠지……!"

펄이 입을 반쯤 벌리고.

페이는 그 옆에서 어금니를 깨물었다.

"스스로 함정을 밟는 건 그 대미지를 다른 사람에게 넘기려는 경우 외에는 없어."

"하지만 페이, 룰을 떠올려보아라. **함정 대미지는 경감**

할 수 없다."

"······!"

"알아차린 모양이군. 내『더블 트랩』으로 펄에게 이동한 대미지는 경감할 수 없다. 펄의 라이프는 8, 그리고 함정의 반사 대미지로 7. 열정의 리듬 효과로 8이 된다!"

"······그걸 위한 메가 플레임이었나!"

함정 대미지는 경감할 수 없다.

다만 경감할 수 없다 해도 무효는 가능하니 펄이 사용한 칠흑의 장막이라면 막을 수 있다.

켈리치는 먼저 메가 플레임을 사용해 칠흑의 장막 효과를 소비하게 했다. 완벽한 콤비 플레이.

"끝이다!"

"아니, 아직이다!"

다크스의 말을 가로막고, 페이가 외쳤다.

"내 카드가 네 장이 된 걸 잊으면 곤란하지. 고속 마법『쌍둥이의 아픔』, 이것으로 펄이 받는 대미지의 일부를 내가 받는다."

대미지는 경감할 수 없다.

그러나 다크스가 한 것처럼 그 대미지 대상을 바꿀 수는 있다.

"펄이 받는 대미지는 3점. 그리고 내가 5점이다!"

"······그렇군. 대응할 수 있는 카드가 있었나."

다크스의 눈빛은 흔들리지 않았다.

페이의 방해로 펄을 처리하지 못했음에도.

"페이. 네가 카드를 발동하기를 기다렸다."

"……뭐라고?"

"나는 고속 마법 『침묵 명령』을 발동! 페이즈 종료까지 너의 모든 카드 사용을 봉인한다!"

……카드 사용 봉인?! 카드 사용이 조건인 카운터인가!

……하지만 이 타이밍에?

페이　　 : 라이프 6점, 카드 3장, 현재 지점 19(황금 칸)

펄　　　 : 라이프 5점, 카드 4장, 현재 지점 14(황금 칸)

다크스 : 라이프 3점, 카드 2장, 현재 지점 16(함정 칸)

켈리치 : 라이프 10점, 카드 3장, 현재 지점 13(은색 칸)

"페이 씨의 카드가?!"

"침착해, 펄. 나 혼자 봉인 당했을 뿐이고 네 카드 사용까지 금지된 건 아니야. 그리고 이번 제3페이즈는 곧 끝나!"

다크스의 턴까지 종료했다.

이 타이밍에서 페이의 카드 사용을 금지할 필요는 없었을 터인데.

"아니요."

켈리치의 부정이 페이의 말을 가로막았다.

"페이, 카드 사용이 금지된 당신은 이제 펄을 구할 수 없습니다."

"뭐?"

"모든 플레이어의 턴이 종료했으니 페이즈 종료. 여기서 저의 시한 마법을 오픈!"

엎어져 있던 카드가 뒤집힌다.

그 정체에 페이와 펄의 표정이 동시에 얼어붙었다.

시한 마법 『운명』.

　① 페이즈 종료 시 모든 플레이어는 이번 페이즈에서 뽑은 카드만큼 대미지를 받는다.

　② 뽑은 카드의 수가 4 이상인 플레이어는 10 대미지를 받는다.

……그런 거였나!

……다크스가 함정 칸을 선택하고 켈리치가 황금 칸을 고른 진짜 이유.

이 비장의 카드가 있었기에 일부러 카드 획득을 피한 것이다.

페이가 뽑은 것은 세 장(황금 칸+절대 평등 자본으로 한 장).

켈리치 2장(은색 칸+절대 평등 자본으로 한 장).

그리고.

"······그, 그런······."

금발 소녀의 입술이 점점 핏기가 가셨다.

펄이 획득한 카드는 네 장.

"알아차린 모양이군요. 우리가 당신들에게 대량의 카드를 뽑게 한 진짜 이유. 전부 이걸 위한 포석이었습니다."

펄의 눈앞에서.

설치된 시한 마법『운명』에 불이 들어왔다.

"펄, 당신의 라이프는 5. 여기서 10점 대미지가 발생했습니다. 당신의 회복 마법으로 막을 수 있나요?"

"······."

펄이 입술을 깨문다.

그 침묵이 대답.

"없겠죠. 역시 페이를 막아두는 것이 정답이었어요."

카드가 빛났다.

즉사나 마찬가지인 10점 대미지가 펄에게 다가온다.

"저는······ 저도 이제 페이 씨와 레셰 씨의 걸림돌이 아니에요! 아직 이 턴은 끝나지 않았어요! 끝낼 수 없어요!"

펄이 외쳤다.

그 손에 보유한 카드 중 오른쪽에서 두 번째를 가리키며.

"『사망유희』를 영창! 라이프 0이 선고될 경우에만 발동하는 카드예요!"

고속 마법『라스트 댄스』.

새로운 1턴을 얻는다. 다만 턴이 종료하면 페널티 20점 대미지를 받는다.

"뭐?!"

"이건……!"

다크스, 켈리치가 경계한다.

시한 마법『운명』이 발동하는 것은 페이즈 종료 시.

그러나 펄의 추가 턴이 페이즈 종료 전에 끼어들었다. 이것이 끝날 때까지 페이즈는 종료하지 않으며, 시한 마법 도 발동하지 않는다.

"하지만 강한 카드에는 리스크가 있어요. 이번 턴에서 제가 승리하지 못할 경우, 저는『라스트 댄스』의 효과로 20점 대미지를 받아 패배해요."

"……쓸데없는 짓을!"

펄을 노려보는 갈색 소녀.

"페이는 카드 사용이 금지됐습니다. 당신 혼자서 우리의 라이프를 모두 깎을 수 있을 것 같나요?!"

"……지는 건 두렵지 않아요."

금발 소녀가 어금니를 깨물며 고개를 든다.

"제가 두려워하는 건 게임에서 도망친 채로 끝나는 것!

여기서 도망치면 아무것도 변하지 않으니까요!"

라스트 댄스, 발동.

펄 다이아몬드, 자신의 모든 것을 건 최종 턴.

게임 『Mind Arena』

【승리 조건 1】 최종 턴, 펄이 골인 지점에 도달.

【승리 조건 2】 최종 턴, 펄이 다크스, 켈리치 한쪽의 라이
프를 0으로 만듦.

【패배 조건】 승리 조건 1이나 2를 달성하지 못할 경우.
턴 종료 시에 라스트 댄스의 페널티 20점을
받아 펄이 탈락.

※시한 마법 『운명』의 발동 전에 펄의 패배.

……우리가 승리하는 방법은 두 가지.

……다만, 골인까지 30칸. 이번 최종 턴에서는 실현 불
가능해.

필연적으로 승리 방법은 하나.

펠이 다크스나 켈리치의 라이프를 0까지 깎는 것.

주먹을 쥔다.

커다란 함성이 스타디움을 채우고, 페이는 파트너인 소
녀의 등을 바라보았다.

……내 배턴은 넘겼어.

……이제는 믿을 뿐이야. 내가 선택한 파트너를.

이 게임의 최종 턴.

자신들이 모아둔 라이프와 카드와 작전을 전부 사용하기를.

"저의 턴!"

펄의 주사위 카드는 5. 페이와 같은 황금 칸(19번 칸)으로.

여기서 마법 카드 두 장을 보충.

펄은 라이프 3, 카드는 다섯 장.

"우선 저는 백마법『생명의 고동』을 발동. 라이프를 4점 회복하지만 현재 라이프가 3 이하일 때는 회복 라이프 9점이에요!"

치유사, 원념의 사슬, 열정의 리듬이 발동.

펄의 라이프는 11. 카드 네 장을 전부 사용할 수 있는 카드를 얻었다.

"믿어. 펄. 이번 턴에서 전부 사용해!"

"네, 페이 씨! ……**제 공격 카드는 세 장.** 공격하는 건 물론 남은 라이프 3인 당신이에요!"

검은 코트 청년을 가리키며.

"우선 첫 번째,『카운터 볼트』! 4점 기초 대미지에 열정의 리듬 효과로 추가 대미지가 더해져 모두 5점이에요. 이게 통하면……."

"그렇다면 나는 고속 마법『응급 처치』로 그 5점 대미지를 경감한다."

다크스, 남은 라이프는 1.

"……제 공격 마법은 아직 남아 있어요!"

펄의 카드는 이제 세 장, 그중 공격 마법은 두 장.

"제「펄 파이어」, 이게 통하면 끝이에요!"

"저를 잊은 것 아닌가요?"

다크스를 감싸는 형태로.

켈리치가 이마에 붙은 머리카락을 쓸어내며 앞으로 나섰다.

"고속 마법『성자의 은혜』로 라이프 4를 회복합니다. 이 걸 두 장 사용해 저희를 회복. 다크스의 라이프는 2점, 제 라이프는 10점이에요."

"큭!"

"제가 가진 회복 마법은 이 두 장이었어요. 안타깝게 됐네요."

"……아니요."

펄이 힘없이 고개를 저었다.

"예상했어요. 당신들의 카드 중에 회복 마법이 있을 거라고. 그래서 저는 그게 다할 때까지 이 카드를 아껴뒀어요!"

펄이 가리킨 카드가 뒤집혔다.

공격 마법『태고의 언어』.

이번 페이즈에서 사용된 대미지 계열 마법의 총 갯수에 따른 대미지를 준다.

"사용된 마법은…… 메가 플레임, 더블 트랩, 시한 마법『운명』, 카운터 볼트, 펄 파이어까지 총 다섯 장! 열정의 리듬 효과로 총 6점이에요! 다크스 씨, 이걸로 우리가 이겼어요!"

다크스는 남은 체력 2, 카드 한 장.

카드를 소비하면 자신도 2점 대미지를 받으니 남은 카드는 사용할 수 없다. 다시 말해『태고의 언어』를 막을 수단이 없다.

"……확실히 그 말이 맞는군."

이 남자는 돌연 팔짱을 끼며 눈을 감았다.

"뭐, 뭔가요, 그 태도는?!"

"훌륭한 게임 플레이다."

눈을 감은 채.

다크스가 조용해진 회장에서 그렇게 말했다.

"파트너인 페이는 움직일 수 없어. 이런 상황에서 너 혼자 나와 켈리치를 여기까지 몰아세울 줄은 예상하지 못했다. 너는 페이의 걸림돌이 아니군."

"……그, 그게 패배 선언인가요?!"

"한 수 차이다."

다크스의 카드, 그 마지막 한 장이 떠올랐다.

"나는 고속 마법『인과 역전』을 발동! 내가 받을 모든 대미지를 켈리치에게 옮긴다! 내가 받을 카드 소비 대미지까지도!"

"앗?!"

"켈리치의 라이프는 10. 받는 대미지는 총 8점. 따라서 우리는 양쪽 모두 살아남는다."

다크스의 남은 라이프 2.

켈리치의 남은 라이프 2.

분명 서로의 자원을 극한까지 사용한 최종 턴이라고 할 수 있으리라. 상대를 끝까지 몰아 붙였다. 그 말에 누구도 반론하지 않을 것이다.

그러나.

펄은 모든 공격 마법을 사용했다.

더 이상 다크스와 켈리치에게 대미지를 줄 수 있는 카드가 없다.

"……제……턴은……끝이에요."

펄의 선언으로 턴 종료.

고속 마법 『라스트 댄스』의 페널티 20점을 받아 남은 라이프는 0점.

페이 일행의 패배다.

"……죄송해요, 페이 씨."

펄이 살며시 미소 지었다.

모든 것을 사용해 싸운, 잔뜩 지친 모습으로.

"저는 페이 씨에게 기대지 않고 이기려고 열심히 했지만…… 아직 미숙했어요……."

"무슨 말이야."

그런 금발 소녀에게.

페이는 최고의 미소로 답했다.

"이긴 건 우리야. 최고의 파트너라고, 펄."

"뭣이?!"

"네?!"

다크스, 켈리치. 이 두 사람만이 아니다. 스타디움의 몇
만 명의 관객들이 자신의 귀를 의심했으리라.

"그, 그게 무슨 말입니까?!"

참지 못하고 소리친 켈리치.

"펄! 당신은 모든 공격 카드를 사용했을 텐데요. 턴 종료
를 선언한 게 증거잖아요!"

"……제 마지막 한 장."

험악하게 다그치는 켈리치에게.

펄은 마지막으로 남은 카드 한 장을 꺼냈다.

**"이제야 발동 조건이 갖춰졌어요. 제가 지금까지 아껴뒀
던……."**

하늘을 올려다본다.

머나먼 과거를 떠올리는 듯한 모습으로.

"이건 카드를 되돌리는 카드."

"……?!"

"고속 마법 『재래의 꿈^{앙코르}』을 영창. 저는 이 효과로 행어에
버려진 카드 한 장을 가져올 수 있어요!"

고속 마법 『앙코르』.

랜덤으로 배포된 첫 다섯 장 중에 펄이 처음부터 가지고 있던 비장의 수단이다.

"페이 씨, 이상한 카드가 있어요."

"응? 「자신의 라이프가 5 이하이면서 남은 카드가 한 장일 때만 발동 가능」이라니, 조건이 엄청 까다롭네?!"

펄의 현재 라이프 5, 카드는 한 장.

게임 개시 전부터 깔아두었던 최초의 복선.

그것이 드디어 충족됐다.

무척이나 사용하기 어려운 고속 마법 『앙코르』의 발동 조건이.

"제가 행어에서 가져올 카드는 **치유사의 비오의 카드,** 『사랑과 고통의 천칭 ^{하트 에이크}』!"

행어.

그것은 사용한 카드를 쌓아두는 곳이다. 거기서 뒤집혀 있는 카드 한 장이 떠올라 펄에게 앞으로 날아들었다.

"……무슨!"

다크스가 외쳤다.

"뭐냐, 그 비오의 카드는! 어째서 행어에 떨어져 있지?!"

회장이 술렁인다.

누구 하나 이해하지 못하는 상황.

지금 사용한 『앙코르』는 펄이 처음에 가지고 있던 비장의 카드다.

그러나 치유사의 라스트 스펠, 그것을 『앙코르』로 손에 넣으려면 우선 카드가 행어에 있어야만 한다.

"말도 안 돼요!"

켈리치의 눈에 떠오른 동요.

"치유사의 비오의 카드 『하트 에이크』라니…… 그런 카드는 게임 중에 한 번도 사용되지 않았어요. 행어에 떨어져 있을 리가 없어요!"

그렇다. 누구나 켈리치와 같은 마음이었을 것이다. 펄의 플레이에 대한 근거를 설명할 수 없다.

단 한 명을 제외하고는.

"답을 맞혀봐야 알겠어?"

빛나는 주홍색 머리카락을 손가락으로 빗질하며.

관객석 제일 앞에 앉은 레셰가 즐거운 듯이 미소 지었다.

"다들 잊었어? 한 번도 사용하지 않은 페이의 카드가 행어에 떨어진 일이 제2페이즈에 한 번 있었잖아."

"……앗!"

레셰의 옆.

검은 머리 소녀 넬이 벌떡 일어났다.

"그때인가! 페이 공이 백마법 『혼의 희생』을 사용했을 때!"

"내 카드 중에 필요 없는 카드를 한 장 버린다."

"『혼의 희생』과 합쳐 두 장을 행어에 격납하는 것으로……."

라스트 카드 『하트 에이크』를 지녔던 것은 페이였다.

페이가 처음부터 들고 있던 다섯 장에 섞여 있던 비장의 카드.

다만 여행자 클래스를 고른 페이에게는 무의미한 것이나 마찬가지. 그래서 어떻게든 펄에게 이 비장의 카드를 넘길 필요가 있었다.

"설마……."

갈색 소녀 켈리치의 눈이 커졌다.

"페이! 제1페이즈에서 당신이 한 질문은 이걸 내다보고……!"

"그래. 당연히 노리고 한 거지."

"나와 펄은 운명 공동체다. 그렇다면 서로의 카드를 교환하는 것도 가능한가?"

모두 블러프.

페이의 질문으로 스타디움에 있는 모두가 어떤 인식을 품게 됐다.

페이에게는 **카드를 교환할 수단이 없다.**

카드를 교환할 수 있는 수단이 있다면 그런 질문을 할 필요가 없기 때문이다.

그러나 실제로는 있었다.

페이와 펄 사이에서 행어를 경유한 카드 교환이 가능했다.

"우리가…… 그 시점에서 당신의 말로 착각하게 만든 건가요?!"

"그렇게 거창한 걸 노린 게 아니야. 방심만 해주면 됐었지."

원래 다크스와 켈리치 정도의 플레이어라면 행어를 경유해 카드를 교환하는 것도 당연히 경계했을 것이다.

그러나 두 사람도 마음속 어디선가 경계를 풀고 말았다.

상대 팀은 카드를 교환할 수단이 없다고 단정짓고 말았다.

페이의 그 한마디로.

"말해두지만 그 직전에 『천군의 검』을 사용한 것도 대미지를 위해서가 아니야. 카드를 행어에 버리기 전에 의식을 그쪽으로 돌리기 위해서였어."

"……말도 안 돼요!"

켈리치가 전율하며.

"이번 제3페이즈를 예측해 제2페이즈에서 비오의 카드를 버린다. 그 제2페이즈의 복선으로 제1페이즈에서 그런 블러프를 늘어놓았다는 건가요?!"

"예측한 건 아니야. 나는 우리의 작전을 그대로 진행했던 것뿐이야."

"네?"

"클래스를 선언했을 때 말했지? **받아주겠다**, 라고."

"……!"

"우리가 노린 건 처음부터 대미지 대결이었거든."

페이와 펄. 다크스와 켈리치.

양쪽의 승리 계획은 동일했다.

그러나 마법사라는 최선책을 고른 다크스와 켈리치에 비해 페이 일행은 클래스를 고를 때부터 철저하게 전술을 숨기는 방향을 선택했다.

"……하, 하지만 어째서죠?! 어째서 그렇게 번거로운 행동을!"

켈리치가 목소리를 짜냈다.

"대미지를 노린다면 당신들도 마법사를 골랐으면 좋았을 텐데……!"

"그럼 이기지 못했을 거야."

"……네?"

"우리의 카드에는 회복 마법이 많았거든. 그렇다면 반대로 공격 마법이 그쪽 카드에 편중됐을 가능성이 있었지. 단순한 대미지 레이스를 선택하면 공격 마법 카드 차이로 우리가 패배했겠지. 심리전으로 앞지를 수밖에 없었어."

대미지 레이스라면 마법사 클래스가 제일.

그러나 페이 일행이 마법사를 골랐더라면 같은 조건이었

던 다크스, 켈리치가 유리할 것이 명백했다.

따라서 모든 공방을 이 비장의 카드에 걸었다.

치유사의 비오의 『하트 에이크』.

플레이어가 받는 대미지를 경감 불가능한 대미지로 반사한다.

"그러니 이걸로 끝이에요!"

펄은 라이프 3을 사수했다.

앞으로 마법 카드 한 장만 쓸 수 있는 체력. 자신의 라이프를 극한의 1까지 깎으면서 마지막 비장의 카드를 발동한다.

비오의 카드, 『하트 에이크』.

이 비장의 카드가 라스트 댄스로 받아야 할 20점 대미지를 반사한다.

"그렇군."

검은 코트를 걸친 장신 청년에게.

"철회하지. 나는 아직 얕보고 있었는지도 모르겠군. 훌륭하다, 펄 다이아몬드."

무대에 빛이 차오르고.

너무나도 눈부신 광경에 모든 관객이 눈을 감았고……
그 빛이 잦아든 후.

『게임 종료. 다크스의 라이프 0. 이것으로 페이, 펄 팀이 승리했습니다.』

"해, 해냈어? 해냈어요, 페이 씨!"
펄이 폴짝 뛰었다.
"저희가 이긴 거죠?! 이곳 성천도시 마르 라 지부의 에이스 팀에게…… 어라? 페이 씨, 그다지…… 어라?"
펄이 눈을 깜박였다.
그리고 문득 어떤 사실을 깨닫고 스타디움을 둘러보았다.
관객석에서 박수 소리가 전혀 들리지 않았다. 함성도 없이, 놀라울 정도로 고요했다.
"아……."
펄이 숨을 죽였다.
이곳은 성천도시 마르 라에 있는 스타디움으로, 자신들의 적지 한복판에서 싸웠다.
관객의 거의 대부분은 이 도시의 대표인 다크스의 승리를 원했다. 그래서 페이 일행의 승리를 편히 기뻐할 수 없다.
그렇게 생각했을 때.
"후, 후하하하! 하하하하하하!"
스타디움에 울린 것은 이곳 도시의 사도 에이스인 남자의 목소리였다.
맑고 산뜻한 웃음소리. 패배한 직후라고는 생각할 수 없는, 무척이나 용맹한 웃음을 터뜨리며.

"과연."

팔짱을 끼고 고개를 크게 끄덕인다.

뭐가 「과연」이라는 걸까?

페이는 물론 관객, 파트너인 켈리치까지 알 수 없다는 듯이 고개를 갸웃하는 상황.

"나는 이해했다!"

다크스의 손가락이 일행을 가리켰다.

"페이여! 역시 나와 너는 라이벌이 될 운명인 모양이다!"

"……응?"

"오늘의 격전이 운명의 시작. 나와 너 사이에서 수없이 펼쳐질 게임 전설의 서막인 셈이다."

"얼마나 더 하려고?! ……뭐, 나도 즐거웠으니까 상관없지만."

"역시 내 눈은 틀리지 않았군."

몇 번이고 고개를 끄덕인다.

성천도시 마르 라의 에이스는 정말이지 기분이 좋아 보였다.

"그러니 지켜보아라, 관중들이여! 내일의 나는 이 싸움을 넘어 더욱 강해질 것을 약속하지. 내 전설은 여기서부터 시작이다!"

순간 고요해졌다. 그리고는.

수만 명의 관객이 노도와 같이 「다크스!」를 연호해 스타디움을 뒤흔들었다.

　"저기이…… 어쩐지 진 쪽 분위기가 더 좋은 거 아닌가요?"

　"뭐 어때. 게임이 재밌었잖아?"

　가자.

　펄에게 시선을 보낸 뒤 무대에서 대기실을 향해 걸었다.

　"페이!"

　그 뒤에서 다크스가 말을 걸었다.

　"다시 만나자. 다음은 『신들의 놀이』에서!"

　"응?"

　"금방 알게 될 거다. 가자, 켈리치."

　의미심장한 그 말을 끝으로.

　다크스 기어 시미터는 검은 코트를 펄럭이며 무대를 떠났다.

VS 사도 다크스 & 켈리치 팀.

『Mind Arena』, 공략 시간 1시간 5분으로 『승리』.

【승리 조건 1】 상대 팀보다 빨리 골인 지점에 도달할 것.

【승리 조건 2】 상대 팀의 라이프를 0으로 만들 것.

드롭 아이템 : 사도 다크스로부터 생애의 라이벌 인정.

(입수 난이도 "……다크스가 오랜만에 즐거워 보였어요."

※켈리치)

Player.4 미련 없는 탈락자

1

교류전 다음 날.

성천도시 마르 라에서 지내는 페이 일행의 3일째 일정은 도시 견학이었다.

"페이, 여기야, 여기!"

대로를 걸으며 눈을 반짝이는 레셰.

쇼핑몰의 한쪽. 오래된 보드게임부터 최신 게임기까지 갖춰진 게임 가게로 달려가서는.

"아아, 멋져…… 루인의 게임 가게도 좋았지만, 도시가 다르니 상품도 다르네. 내가 모르는 게임이 이렇게나 많이 있어!"

"어이구야, 아가씨. 젊은데 보는 눈이 있구먼."

가게 안에서 나온 사람은 지팡이를 짚은 나이 든 점주였다.

주변 손님은 레셰의 방문에 놀란 듯하지만 점주는 이 소녀가 이전 신이라는 사실을 모르는 모양이다.

"아가씨가 든 물건은 내가 경매에서 낙찰받은 전설의 보드게임이지. 전 세계 한정으로 500개밖에 발매되지 않았어."

"살래!"

"단호해서 좋구먼. 아가씨 용돈으로는 좀 비쌀 텐데?"

"돈이라면 있어!"

레셰가 귀여운 고양이 지갑을 쥐었다.

거기서 꺼낸 것은 칠흑의 카드. 신비법원이 발행한 플래티넘 신용 카드. 사용 한도액이 「무한」이라는, 신이었던 자에게만 주어지는 궁극의 한 장이다.

"이 카드로! 미란다한테는 너무 많이 쓰면 안 된다고 들었지만!"

"호오? 그런데 아가씨, 바로 어제 최신 게임기 「Cwitch」가 한정으로 세 대만 들어왔는데……."

"그것도 살래!"

"10년 전의 『The Game Award』 수상에 빛나는 카드 게임이……."

"그것도!"

레셰가 신용 카드를 점주에게 건넸다.

"이 상품 전부 비적도시 루인으로 보내줘!"

"……야, 레셰, 그만 됐지?"

"만족했어!"

레셰가 눈을 반짝이며 돌아보았다.

그 뒤에서.

"오래 기다리셨죠? 페이 씨, 레셰 씨."

펄이 교차로를 건너 걸어왔다. 왼손에는 군고구마가 든 봉투가, 오른손에는 케밥 샌드위치를 들고 있는 것이 신경 쓰이지만.

"이건 제게 주는 선물이에요!"

환한 미소를 짓고 있는 펄.

"어제의 뜨거운 격투를 넘어선 제게 감사와 축하의 뜻을 담아서!"

"아니, 어제는 어제대로 파티를 열었잖아? 아까 아침밥도 먹었으면서 그게 또 들어가?"

"그렇게 됐으니 가요! 옆에 있는 쇼핑몰에 타코야키가 유명한 가게가 있다는 정보를 바레가 사무장님한테 들었거든요!"

펄이 성큼성큼 앞으로 걸어갔다.

그 뒤를 페이와 레셰가 따르려고 한 교차로에서.

"저, 저기…… 용신님!"

"레오레셰 님!"

"나?"

레셰가 돌아보았다.

마르 라 지부의 옷을 입은 남자 사도들이 교차로를 달려왔다. 어째서인지 다들 카메라와 색지를 들고서.

"사진 찍어도 될까요?!"

"다, 다음은 저와 둘이서만 사진을……!"

"사인도 부탁합니다! 저와 팀원들 앞으로 17장!"

순식간에 포위됐다.

정작 레셰 본인은 뭔가에 홀린 표정이었다. 주변에 있던 남자 사도들이 자신의 팬이라는 사실을 이해하지 못했을 것이다.

그런 광경에.

페이와 펄은 둘이서 얼굴을 마주했다.

"어라. 그러고 보니 지금까지 레셰한테 이런 일이 없었던가? 신이었으니 이런 팬이 있어도 이상하지 않은데."

"페이 씨, 그게 왜, 우리 도시에서는 오히려 무서워해서……."

"아, 그렇군."

이 도시의 주민은 레셰의 무서움을 모른다.

신들의 놀이를 우습게 여긴 사도들이 집중 치료실로 가게 된 「피로 얼룩진 신님」 사건 등, 레셰의 위험한 면을 보지 않았으니까.

"레셰 씨, 외모는 엄청 귀여우니까요."

"본인은 당황한 모양이지만."

남성 팬에게 둘러싸인 상황이 익숙하지 않으리라. 지금도 남자 둘 사이에 끼어 사진을 찍고 있지만 그 어색한 행동이 오히려 풋풋해서 귀여웠다.

"저, 저기! 페이 씨 맞으시죠?!"

"……응?"

돌아본 페이의 바로 뒤에는 삼인조 소녀들.

이쪽은 의상으로 볼 때 일반인인 듯했다.

"저, 저기! 저희…… 어제 게임하시는 거 봤어요!"

"페이 씨의 플레이가 정말 멋져서, 사인을 받고 싶어요!"

"사진도 부탁드려요! 저, 저기, 돈도 드릴테니 악수도 부탁드려도 될까요?"

"돈?! 아니, 돈은 됐으니까……."

그렇게 말하는 동안에도.

사인 색지를 든 소녀들이 두 명 더 교차로를 건너 다가오고 있었다.

"아니, 이게 말이 돼?! 이런 건 루인에서도 경험해본 적 없는데?!"

"……이, 이게 WGT 게스트 효과인가요!"

펄이 꿀꺽 마른침을 삼켰다.

다른 도시에서 온 유명 게스트. 이곳에서 사는 사람들 입장에서는 세계적인 가수나 스타가 찾아온 것과 비슷한 대형 뉴스나 마찬가지일 것이다.

"앗?! 그렇다면 저도 엄청난 인기를?!"

펄이 눈을 번뜩였다.

"어제 싸움에서 활약한 건 저니까요! 그렇다면 어제의 싸움은 큰 반향을 일으켰을 테죠. 저도 드디어…… 인기 놀이공원의 놀이 기구처럼 사인을 받기 위해 세 시간 기다려야 하는 엄청난 행렬이 생길 거예요. 자, 어서 오세요. 제 팬분들!"

조용한 교차로.

두 팔을 벌리고 어서 오라는 자세를 한 펄의 앞으로 다가오는 사람은 없었다. 오히려 지금 뭐 하는 거냐며 수상히 여기는 시선들뿐.

"⋯⋯어라?"

"어제 펄 파이어라고 한 게 좋지 않았던 거 아닐까?"

"멋진 이름이잖아요오! ⋯⋯으으. 저는⋯⋯ 잠깐 저기서 크레이프나 사올게요오⋯⋯ 자신을 달래주러⋯⋯."

의기소침해진 모습으로 발길을 옮기는 펄.

그때 교대하듯 돌아온 레셰. 길에서 사인과 사진 등을 요청받았지만 수가 너무 많아 도망친 모양이다.

"⋯⋯긴장했어."

"어색해 보이더라. 나도 사인은 오랜만인걸. 반년 전에 조금 해본 적이 있긴 한데."

"아! 페이의 사인!"

"응?"

페이로서는 아무렇지도 않은 대답이었을 것이다.

그러나 레셰는 호기심 왕성한 듯이 눈을 반짝이는 것이 아닌가.

"나도 페이의 사인이 갖고 싶어!"

"어?"

"인간의 문화잖아? 사인받은 물건을 보물로 보관해두는 거. 팀원인 내가 받지 않으면 이상하잖아."

갑작스러운 부탁이다.

방금까지 사인해줬던 사인펜을 페이의 가슴 앞으로 떠밀었다.

"해줘!"

"……딱히 상관없는데. ……다만 냉정히 생각해보자면, 갖고 싶어?"

"페이 거라면 갖고 싶어. 친해진 증표로."

"……그럼 색지는?"

"없어."

"그렇겠지. 그럼 돌아갈 때 문구점에 들려서……."

쓱.

이동하려던 페이의 상의 자락을 레셰가 말없이 잡아당겼다.

"지금 해줘."

"아니, 하지만……."

"색지가 아니어도 돼. 오히려 항상 지니고 다닐 수 있는 게…… 아, 그렇지!"

레셰가 빙글 돌아 등을 보였다.

뒷모습의 레셰가 가리킨 것은 머리에 달아둔 녹색 리본.

"리본 뒤쪽에 부탁해."

"……꽤 신경 쓰네. 쓸 면적이 적은데 잘 쓸 수 있으려나."

"이쪽이「나만」이라는 느낌이 들잖아?"

리본 뒷면에 조심스럽게 사인.

큰길이라 주위 시선도 있다. 솔직히 페이는 부끄럽기도 했지만.

"자, 됐어."

"신난다!"

주홍색 머리카락을 펄럭이며, 레셰가 폴짝 뛰었다.

머리에 단 리본을 기쁜 듯이 쓰다듬으며.

"이거, 소중히 할게."

어린아이처럼 밝은 미소로, 신이었던 소녀는 그렇게 말했다. 그 미소를 본 페이의 얼굴이 붉어질 정도로 무척이나 기쁜 목소리로.

"왜 그래, 페이?"

"……아니, 아무것도 아니야."

신이었으면서 이렇게 작은 일로도 기뻐해 주는구나.

그렇게 말할까 잠시 고민하다가.

"뭐하고 계세요?"

"으앗?!"

바로 뒤에서 펄이 나타났다.

방금 산 크레이프를 두 손에 들고서.

"……묘하게 거리가 가까웠어요."

"아니, 단순히 레셰가 사인을 부탁해서……."

"자, 계속 견학하자!"

이상하리만치 시치미를 떼는 레셰의 목소리가 페이의 말을 끊었다.

활기찬 시가지를 셋이서 걷는 동안에.

"응? 저기 왜 사람들이 몰렸지?"

길 한복판에 사람들이 가득했다.

몇 백 명은 될 정도. 게다가 대부분 여성이었다.

"다크스 님!"

"여기 봐주세요, 다크스 님!"

귀를 기울일 것도 없이 다크스를 연호하는 높은 목소리가 여기까지 들렸다.

"다크스?!"

여성 팬에게 둘러싸인 것은 검은 의례복을 입은 청년이었다.

모델처럼 단정한 용모의 청년이 코트를 크게 펄럭이며 길을 걷고 있었다.

"다크스 님! 스타디움 두 번째 줄에서 응원한 건 저예요!"

"다크스 님! 어제 싸움도 멋졌어요!"

"꺄! 이쪽을 봐주셨어!"

다크스가 한 발 걸을 때마다 터져 나오는 목소리.

본인은 그런 성원에 아랑곳하지 않고 당당하게 전진했다. 그가 간 곳은 무척이나 고급스러워 보이는 레스토랑.

"설마 저건?!"

펄이 외쳤다.

"지금은 점심 12시 15분…… 페이 씨, 확실해요!"

"뭐가?"

"이 도시의 런치 맵을 보다가 우연히 알게 됐는데요, 저건 「다크스 런치」 촬영이 확실해요!"

"……그게 뭔데?"

"그가 점심을 먹을 뿐인 방송이에요."

"이름 그대로네?!"

"아니요, 페이 씨! 점심을 먹는 방송을 실시간으로 몇만 명이나 되는 팬이 지켜봐요. 소문으로는 그 방송 수입이 저희 사도 급여의 두 배는 된다나 봐요."

"너무 굉장하잖아?!"

"인기가 많으니까요."

그렇게 말한 사람은.

페이 일행이 아닌, 바로 옆에서 나타난 갈색 소녀였다.

"어제 스타디움의 함성을 들으면 알 수 있겠죠? 다크스가 얼마나 인기가 많은지."

"으앗?! ……그러니까, ……켈러치."

"어제는 수고하셨습니다."

갈색 소녀가 예의 바르게 꾸벅 인사한다.

다만 표정은 평소처럼 선선하게.

"두뇌 명석, 운동 신경 발군, 잘생긴 얼굴에 장신, 성격도 좋고 동료를 챙겨주는 초일류 게임 플레이어. 인기가 없을 리가 없어요."

"……대단한 칭찬이네."

"저 이외의 여자는 그렇게 평가합니다. 제게 다크스는 그저 비즈니스상의 동료로 그 이외의 감정은 없습니다. 그럼 안녕히."

떠나는 켈리치.

아무래도 여성 팬에게 둘러싸인 다크스를 남몰래 지켜본 모양이다. 옆에서 보기엔 다크스가 신경 쓰여 미행한 것처럼 보이기만 하지만.

깊게 파고들지는 않기로 했다.

"이 도시의 사도는 다들 특이하네……."

펄, 레셰와 얼굴을 마주하고서.

페이는 갑자기 고개를 돌렸다.

"그렇게 생각하지? 넬."

"……?!"

빌딩 뒤에서 이쪽을 살피던 검은 머리 소녀 넬이 화들짝 놀랐다. 그러나 그런 동요도 빠르게 수습하고서 마음을 굳힌 눈빛을 했다.

"……페이 공! 어, 어제 싸움은 훌륭했어……. 그리고 나는 역시 당신의 힘이 되고 싶다는 생각이 들었다!"

자신의 가슴에 손을 얹고서 그녀가 말을 이었다.

"부탁이다. ……나는 신들에게 패배해 이제 싸울 수 없지만, 팀의 애널리스트로서 힘을 보태고 싶다."

"……."

"페이 공!"

"거절하겠어."

"윽!"

넬이 순간 멍하니 서자 페이는 다시 반복해서 말했다.

"그 제안은 받아들일 수 없어."

"……그, 그럼!"

주먹을 쥔 넬이 다시 목소리를 짜냈다.

"그, 그렇다면 가정부는 어떤가? 청소나 빨래나 식사 준비도 전부 내가……!"

"사양할래."

레셰도 뒤이어 넬의 말을 가로막았다.

너무나도 냉정하게.

"……."

흐려지는 넬의 눈빛. 고개를 숙이고 입술을 깨물며.

"……그런가."

검은 머리 소녀는 발밑을 본 채 등을 돌렸다.

"……시간을 뺏어서 미안했다. 나는…… 꼴사나운 것도 정도가 있지……."

슬쩍.

당장에라도 주저앉을 듯한 발걸음으로 거리를 걷기 시작했다.

역시.

그녀는 아직 알아차리지 못한 듯하다. 페이와 레셰가 무엇을 거절했는지.

꼴사납지 않다. 맺고 끊음이 지나치게 확실한 것이다.

"넬, 정말 그걸로 **만족해?**"

"……?!"

"애널리스트니 가정부니, 청소나 빨래나 식사 준비라니."

페이는 한숨과 함께 뒷머리를 긁적였다.

빠르게 돌아본 그녀에게.

"그게 아니잖아? 네가 정말로 하고 싶은 건."

"무, 무슨 말이지?! 페이 공!"

"……뭐, 됐어. 자신의 입으로 말하기 어려울 테니까."

레셰와 펄에게 시선을 보내고.

그대로 신비법원 빌딩 방향을 가리키며.

"내일 오후 1시 집합이야. 지하 1층 다이브 센터에서."

"어? 잠깐, 페이 공! 대체 무슨……!"

당황을 감추지 못하는 넬에게.

"그럼 우리는 아직 관광 예정이 있으니까, 내일 꼭 와."

페이는 눈앞 건널목을 걸었다.

2

WGT, 4일 째.

신비법원 마르 라 지부 빌딩, 지하 1층 홀에서.

"오늘이 왔군."

사무장 바레가가 비상계단을 내려왔다.

"레오레셰 님, 페이 씨, 펄. 드디어 자네들의 진짜 싸움이 시작된다."

"저만 경칭이 없어요?!"

"신들과의 지혜 대결이다!"

바레가가 가리킨 것은 홀의 중앙.

거신상. 비적도시 루인은 전부 거대한 용이었지만, 이 도시는 정령 운디네의 모습을 한 상이었다.

운디네가 든 물병에서 눈부시게 빛나는 물이 솟구쳤다.

신들의 세계로 이어지는 문.

그 빛을 넘는 것으로 영적 상위 세계 「신들의 놀이터^{엘리먼츠}」에 다이브할 수 있다.

"생방송으로 전 세계가 지켜보고 있지. 비적도시 루인에서도 미란다 사무장이 관전한다더군. 그리고 페이 씨."

선글라스를 낀 거한이 이쪽에 시선을 보냈다.

"자네들은 현재 3인 팀이다. 본부가 추천하는 최소 인원 열 명이 되도록 이쪽 지부에서 사도 열두 명을 선발했지. 다들 열의가 있는 유망한 젊은이다."

"우리를 포함해 총 열다섯 명인가요?"

"그래. 신들의 놀이는 스무 명 이상이 도전하는 것이 주류지만, 초면이니 수가 많으면 오히려 팀워크가 흐트러지는 법. 따라서 사람 수를 줄였지."

"고맙습니다."

"음. 그들은 먼저 다이브했다."

엘리먼츠에서 기다리는 열두 명.

페이 일행이 거신상에 뛰어들면 당장에라도 신과의 게임이 시작되리라.

"……저, 저기…… 사무장님……?"

홀의 구석에서 들리는 작은 목소리.

사복 차림의 넬이 정말이지 멋쩍은 듯이 손을 드는 모습이 보였다.

"어, 어째서 제가 여기에…… 이미 은퇴한 신분이라 이곳 다이브 센터에 오는 건 조금 부끄럽다고나 할까요……."

"너도 관전할 테지. 페이 씨에게서도 그렇게 들었다."

"페이 공……."

넬이 우물쭈물 조심스럽게 시선을 보냈다.

"어제, 하루종일 생각해봐도 모르겠다. 대체 어제 한 말의 뜻은……."

"제일 가까이서 응원하는 게 팀원의 역할이잖아?"

"……?!"

"아직 응원밖에 할 수 없어 불만이겠지만, 지금은 우리를 믿고 응원해줘."

"……?! 무, 무슨 뜻인가, 페이 공! 어제부터……."

"그럼 가자!"

맑은 레셰의 한 마디가 다이브 센터에 울렸다.

"게임 개시!"

"아니, 레셰 씨. 제 등을 떠밀지 마세요오오오?!"

등을 떠밀린 펄이 넘어지듯 뛰어들었다.

바로 뒤를 레셰가 따라 들어가고.

"……페이 공!"

검은 머리 소녀가 달아오른 목소리로 말했다.

"나, 나는…… 페이 공이 무슨 말을 하는 건지 모르겠다. 모르겠지만 여기에 온 이상 각오를 다지겠어. 전력을 다해 응원하겠다!"

"그래, **서로 힘내자.**"

한 번 크게 끄덕이고서.

페이는 정령 운디네 모양의 거신상으로 뛰어들었다.

신들의 놀이터 「까마득한 모래의 고전장」

^{엘리먼츠}

VS 『태양의 군신』 마아트마 2세

게임, 개시

넬

드디어 페이 공의 게임이 시작된다…….

바레가 사무장

음. 이번 WGT(월드 게임즈 투어)의 메인 기획
이기도 하다. 우리 마르 라 지부에서도 정예
사도를 모은 이상, 전력을 다해 응원해야겠지.

넬

그런데 사무장님…… 저기, 질문이 있습니다.

바레가 사무장

뭐지?

넬

어째서 바레가 사무장님만 카메라에 비치지 않는 건가요?

바레가 사무장

전에 내 얼굴이 카메라에 비쳤을 때, 그것을 본 어린아이들이
일제히 울음을 터뜨렸다는 항의가 쇄도했지.
그 이후로 내 얼굴은 이렇게 특수 아이콘으로 가리게 됐다.

넬

사무장님은 얼굴이 무서우니까요…….
(그러고 보니 펄도 무서워했었지…….)

바레가 사무장

그건 그렇고, 이제 시작한다!

Player.5 　　신에게 도전하는 선택

1

영적 상위 세계의 신들이 인간을 초대하는 『신들의 놀이』.

선택받은 인간은 사도가 되어 영적 상위 세계 「신들의 놀이터」에 오갈 수 있게 된다.

어떤 공간에서 어떤 게임이 기다리고 있을까.

그리고.

페이 일행이 도착한 곳은 끝없는 사막이 펼쳐져 있었다.

모래색이라고밖에 할 수 없는 대지.

매끄러운 구릉이 이어진 너머는 구름 하나 없는 푸르른 하늘이었다.

위는 푸르른 하늘. 아래는 오직 모래. 페이 일행이 도착한 곳은 그런 환경이 펼쳐져 있었다.

"……아, 다행이다. 우로보로스 때처럼 떨어지는 건 이제 싫어요."

고운 모래 위에 착지한 펄이 가슴을 쓸어내렸다.

그렇게 생각하며 하늘을 보고는.

"더워?! 뭐, 뭔가요, 이 강렬한 햇빛은?!"

"……전부 진짜 사막이군."

머리 위 정수리가 바짝바짝 눌어붙을 것만 같이 뜨거워졌다.

작렬하는 세계.

발밑의 모래는 달궈진 프라이팬 같았고, 하늘에서는 밝게 빛나는 태양으로부터 살인적인 열기가 쏟아졌다.

"이번엔 사막 필드구나!"

오직 한 명, 레셰만큼은 태연했다.

강렬한 햇빛 따위는 아랑곳 않고, 발랄하게 말하며 주위를 둘러보았다.

"어떤 게임일까? 페이, 「어떤 게임인지 맞추는 게임」이나 하면서 기다리는 건 어때?"

"그것도 나쁘지 않지만, 지금은 자기소개가 먼저 아닐까?"

사막을 둘러본다.

페이가 찾는 것은 먼저 이곳에 왔을 이번 게임의 동료 열두 명이다.

"레셰, 사람의 기척을 감지할 수 있어?"

"감지고 뭐고 언덕 위에서 발소리가…….'"

레셰가 모래 언덕을 가리킨 것을 기다렸다는 듯이.

"기다리다 지쳤다, 페이!"

커다란 목소리를 울리며 모래 언덕 너머에서 나타난 검은 코트 청년.

"오늘은 너의 진가를 보여라!"

"……계속해서 신세 지는군요."

다크스, 그리고 옆에 있는 파트너 소녀 켈리치.

그 뒤에서 열 명의 사도가 모래 언덕 위로 나타났다.

"안녕하세요, 용신 레오레세 님. 그리고 페이, 펄."

곱슬한 갈색 머리 여성이 살며시 인사.

이쪽은 안경을 낀 지적인 눈빛과 어른스러운 장신이 인상적이었다.

"마르 라 지부의 사도로서 함께 하겠습니다. 팀 「이 세계 템페스트 크루저
폭풍우의 중심」에서 다크스와 켈리치가. 그리고 저 카밀라가 이끄는 팀이……."

아크엔젤
"팀 「대천사」에서 열 명이다."

"아니, 왜 내 중요한 말을 빼앗는 거야?! 다크스!"

"이 녀석들은 숫자를 채우기 위한 것이라고 생각해라."

"최고로 실례되는 말이네?!"

"페이여!"

다크스가 외쳤다. 카밀라의 항의를 산들바람처럼 흘려넘기며.

"설령 신들을 상대하는 게임이라 해도, 나와 네가 자웅을 가르는 곳임에는 변함이 없다……고 말하고 싶다만."

다크스가 음량을 낮췄다.

"이번엔 너희가 주역인 WGT의 일환이다. 나와 켈리치가 나설 자리가 아니지."

"다크스?"

그 말이 어지간히 의외였으리라.

동료인 「아크엔젤」의 카밀라는 황당한 얼굴이었다.

"항상 자신이 참가하는 게임은 자기가 주역이라는 표정을 하잖아."

다크스가 살짝 한숨을 쉰다.

"……**내기에서 진 쪽이 무엇이든 한 가지 말을 들어준다는 약속을 했으니까.**"

"응?"

"아무것도 아니다."

그런 그의 시선이 다시 이쪽으로.

"페이, 네 플레이에 기대하마."

"어? 응, 뭐, 평소대로 할게."

"그럼 됐다!"

펄럭이는 검은 코트.

다크스가 한쪽 손으로 하늘을 가리키며 소리쳤다.

"무대는 갖춰졌다. 자, 나와라, 신이여!"

"나서지 않겠다며?!"

그렇게 지당한 지적을 하는 페이의 뒤에서.

사막이 크게 흔들렸다.

지면이 뒤집히지 않을까 싶을 정도로 크게 흔들리며 페이 일행이 지켜보는 지평선에서 무언가가 떠올랐다.

"……피라미드?"

모래가 크게 융기하며 떠오른 것은 황금색 거대 사각뿔.

그에 맞춰 머리 위에서도.

『안녕하세요. 신의 놀이터에 잘 오셨습니다.』

주황색 소인이 날개를 펄럭이며 내려왔다.

『저는 주신 마아트마 2세 님의 영역에 사는 단자정령입니다. 잘 부탁해요.』

미이프는 신들의 게임을 알려주는 중개역이다.

페이는 이 미이프를 본 순간 팀 아크엔젤의 카밀라가 살며시 긴장을 푼 것을 보았다.

……고난도 신들은 일부러 미이프를 준비하지 않는 일이 있지.

……우로보로스가 딱 그랬으니까.

미이프가 있다. 숙련된 사도라면 이 시점에서 이번에 만난 신이 인간을 어느 정도 배려하는 성격이라고 예측할 것이다.

……그렇게 생각한 순간.

『이번 게임은 전부 열다섯 명? ……흠.』

미이프가 하늘에서 페이 일행을 내려다보며.

『우리 주신께서 예상했던 것보다 **두 자릿수가 적지만** 시간이 됐으니 게임 참가를 마무리할게요.』

"응? 잠깐, 지금 뭐라고…….."

『게임을 설명하겠습니다!』

페이가 말을 마치기도 전에.

미이프가 두 팔을 벌린 순간 사막 하늘에 꽃잎이 날렸다.

『그럼 우선 이렇게 만난 기념으로 꽃 한 송이를 서비스합니다.』

눈처럼 하얀 꽃잎.

미이프가 개화하기 직전의 커다란 봉오리가 달린 가지를 나눠주기 시작했다. 페이의 손에, 그리고 나머지 열네 명에게도.

……당연히 게임의 장치겠지만.

……꽃이 아니라 꽃이 피기 직전의 봉오리라는 게 걸리네.

『소중히 다뤄주세요. **잃어버리면 실격입니다.**』

미이프의 목소리가 사막에 울렸다.

『나눠드린 꽃은 아직 봉오리지만, 그것이 피면 세 가지 색의 꽃이 됩니다.』

태양 꽃(금색), 태양의 제단에 바치는 꽃. 각 팀에 하나.

독 꽃(검은색), 각 팀에 하나.

모래 꽃(흰색), 그 이외의 전부. (페이 일행은 열셋)

『이름하야 『태양 쟁탈 릴레이』! 여러분의 목표는 피라미드 최상단에 있는 재단에 태양 꽃을 바치는 것입니다!』

미이프가 지평선을 가리켰다.

방금 지평선에서 떠오른 거대 피라미드가 아득히 멀리서 아지랑이에 흔들려 보였다.

"저 피라미드가 골인가."

그럼 거리는?

아지랑이 탓에 확실하지 않지만 페이가 보기에도 수 킬로는 될 것이다.

……발밑은 사막이야. 달리기 정말 힘들어.

……거리가 2킬로라고 해도 나와 펄은 아무리 애써도 10분 이상은 걸리겠군.

다만 초인형 사도나 레셰라면 이야기가 다르다. 이 정도 거리는 5분도 걸리지 않아 피라미드까지 도달할 것이다.

아무런 방해가 없다면.

그런 페이 일행의 생각을 들여다본 듯한 타이밍에.

『알아차리셨군요. 저희 주신 팀은 방해하는 쪽입니다.』

미이프가 다시 피라미드를 가리켰다.

『주신 팀은 총력을 다해 여러분이 지닌 꽃을 빼앗을 겁니다. 꽃을 빼앗긴 플레이어는 퇴장하게 되지만, 반대로 여러분이 주신 팀의 꽃을 빼앗을 수도 있습니다.』

"그 주신 팀이라는 건?"

『소개하겠습니다. 나와라, 우리 주신께서 창조하신 피조수^{비스트}들이여!』

모래 언덕이 흔들린다.

솟아오른 모래가 의지를 가진 것처럼 모여들어 짐승 모양의 골렘이 만들어졌다.

『야옹!』

『냐냥!』

"고양이잖아?!"

"흐아아아아아! 귀, 귀여워요오!"

페이의 지적에 이은 펄의 감탄.

한마디로 말해「고양이 골렘」이다.

손발이 짧은 고양이가 이족보행으로 일어선 듯이 동그란 전신상. 애교가 넘치는 아기 고양이와 같은 얼굴로 박력이나 위엄은 눈 씻고 찾아볼 수 없었다.

전부 세 마리.

그것이 모래 먼지를 피우며 달려오는 동안, 페이 일행의 표정이 굳어졌다.

"크기도 해라!"

신장 2미터 이상.

이곳에 있는 누구보다도 컸다. 폭도 제법 되니 질량이 백 킬로 이상은 확실할 것이다.

"······어, 어라. 가까이에서 보니 박력 있네요."

모래 골렘을 올려다본 펄이 주저앉았다.

"이 고양이 골렘이 저희를 방해하는 쪽인가요?"

『네. 꽃을 빼앗기 위해 공격합니다. 아까도 말씀드렸지만, 주신 팀도 태양 꽃을 갖고 있습니다. 비스트가 지닌 꽃을 빼앗는 것도 하나의 전략이겠죠.』

각 모래 골렘이 찬 목걸이에 꽃봉오리가 달려 있었다.

이것을 인간 쪽이 빼앗으면 비스트가 퇴장한다.

"어? 혹시?"

펄이 고개를 갸웃하며.

"이거 캐처 더 플래그인가요? ······그렇죠? 페이 씨."

"그럴지도 모르겠네."

상대의 소유지, 소유물을 쟁탈하는 게임. 땅뺏기 게임, 플래그 게임 등 불리는 호칭은 다양하지만 이런 콘셉트는 많은 게임에서 찾아볼 수 있다.

······자신의 꽃이 빼앗기면 그 플레이어는 퇴장.

······자신의 팀이 소지한 태양 꽃을 빼앗기면 패배.

거기에 마인드 게임을 섞은 요소가 이 세 종류의 꽃이다.

태양 꽃과 나머지 둘.

"있지, 있지."

레셰가 공중을 나는 미이프에게 손짓했다.

"나머지 두 개도 알려줘. 일단 모래 꽃은?"

『그건 위장용이에요. 빼앗거나 빼앗겨도 승패에 영향을 주지 않습니다.』

"그럼 독 꽃은?"

『빼앗은 팀에게 디버프^{신벌}가 부여됩니다. 누가 태양 꽃을 지녔는지 알게 되며 팀 전원이 5초간 행동 방해^{스턴}를 받습니다.』

"일부러 빼앗기라는 거네."

팔짱을 낀 레셰가 생각에 잠겼다.

"……그 5초의 스턴이라면, 움직일 수 없는 거라고 생각하면 돼?"

『네. 이동, 공격, 방어가 전부 불가능합니다. 양 팀 모두 평등하게요.』

그렇기에 봉오리다.

태양, 독, 모래.

어느 꽃인지는 빼앗기 전까지 모른다. 태양 꽃이라고 생각해 빼앗은 것이 독 꽃일 경우, 빼앗은 쪽이 디버프로 5초간 움직일 수 없다.

"5초요오……."

펄이 고민하며 고개를 갸웃했다.

"독 꽃을 빼앗기게 해서…… 저는 50미터 달리기가 9초니까 그 절반이라면 20미터 정도 멀리 도망칠 수 있으려나요오⋯⋯."

"펄."

"네."

"RTS계열 슈팅 게임 해본 적 있어?"

"아, 아니요. 저는 그런 반사 신경 쪽 게임은 약해서⋯⋯."

"RTS에서 5초간 스턴이라면 거의 「사망 확정」이라는 의미야."

"네에에엣?!"

"레셰가 5초간 마음껏 날뛰게 하면 이긴 거나 마찬가지잖아?"

"아, 그건 확실히⋯⋯."

레셰가 마음껏 날뛰게 된다면 그 5초 동안 적의 꽃을 모조리 빼앗을 것이다. **신들과의 게임 대결에서 5초의 빈틈은 치명상.**

⋯⋯우리도 조건은 같아.

⋯⋯실수로 독 꽃을 빼앗으면 패배 확정.

태양 꽃을 사수한다.

거기에 독 꽃을 어떻게 빼앗도록 할 것인가. 연기력과 통찰력, 나아가 「누가 지닐까」의 팀 전략이 시험받는다.

"그런데, 중요한 신은?"

『주신께선 그쪽의 작전 회의가 끝난 뒤에 등장하실 겁니다.』

작전을 엿듣지 않겠다.

신 나름의 배려일 것이다. 비스트들도 뒤로 물러나 거리를 벌렸다.

"아, 그렇군. 그럼 사양하지 않고…… 그런데 우리는 이 꽃을 무작위로 받았잖아. 누가 어떤 꽃을 가졌는지 정보 교환해도 돼?"

『물론이죠. 꽃봉오리를 살짝 들춰보세요.』

살짝.

오므라진 꽃잎을 살짝 펼쳐보았다. 페이가 받은 것은 하얀 꽃이다.

……그렇다면 모래 꽃인가.

……태양 꽃, 독 꽃을 지닌 건 누구지?

"아, 제가 태양이에요!"

"독 꽃은 저였습니다."

펄의 손에는 황금색으로 빛나는 꽃이.

그리고 켈리치가 펼친 꽃은 독버섯처럼 불길해 보이는 검정이었다.

남은 열세 명은 모래 꽃.

『여러분, 누가 어떤 꽃을 가졌는지 확인하셨죠? 그럼 교환 타임. 누가 어떤 꽃을 가질지 신중하게 결정해주세요.』

정리하자.

이 『태양 쟁탈 릴레이』에는 세 가지 승패 조건이 존재한다.

【승리 조건 1】 피라미드까지 달려가 태양 꽃을 피라미드의 최상단 재단에 바칠 것.

【승리 조건 2】 신 팀의 태양 꽃을 빼앗는 것.

【패배 조건 1】 인간 팀의 태양 꽃을 빼앗기는 것.

지평선 너머의 피라미드까지 수천 미터.

거기에 도착할 때까지의 신과 비스트들이 막아선다.

"저 비스트들 말인데."

"고양이 골렘이에요, 페이 씨."

"……그래, 고양이 골렘. 저 녀석들 다리가 빨라 보여."

펄이 고집부릴 정도로 귀엽게 생겼지만, 크기는 2미터 이상. 거대한 인형 같은 체형이지만 모래 먼지를 일으키며 달리는 속도는 상당했다.

……저 녀석들로부터 도망칠 수 있는 속도도 중요하겠지.

……단순한 경주라면 펄 같은 마법사형 어라이즈는 불리한가.

이 사막에서 비스트로부터 도망치기 위해서는 체력이 필요하다. 육체 강화 어라이즈를 지닌 사도가 도망치기 쉬울 것이다.

거기에 태양 꽃을 지니기에 적임인 사람은?

"최적의 조건은 분명한데……."

열네 명의 얼굴을 둘러본 페이는 무심코 쓴웃음을 떠올

렸다.

모두가 같은 방향을 보고 있었기 때문이다.

바로 레셰를.

초인형 사도는 물론 유리하지만, 그 이상으로 「신이었던」 레셰가 확실히 가장 적합할 것이다. 비스트에게 포위되어도 그리 간단히 꽃을 빼앗기지 않을 것이다.

"있지, 페이."

그런 레셰가 켈리치의 독 꽃을 가리켰다.

"내가 태양 꽃을 갖는 것도 괜찮지만, **이쪽을 갖는 편이 재밌을 것 같지 않아?**"

"나도 그렇게 생각했어. 그것도 괜찮지."

레셰가 태양 꽃을 지닌다.

그것은 신 팀도 당연히 예상할 것이다. 그렇다면 역발상으로 레셰에게 독 꽃을 주는 전법도 상당히 강력하다.

"레셰가 독 꽃을 가져간다 치고, 태양 꽃을 누구한테 맡길까? 내 생각에는 이 게임이라면 초인형이 좋을 것 같은데. 이 안에서 해당하는 사람은?"

몇 명인가가 손을 들었다.

참고로 다크스는 손을 들지 않았으니 마법사형일 것이다.

그때. 그런 다크스 옆에서 손을 든 소녀는.

"어?"

"뭔가요, 그 표정은. 제가 초인형인 게 그렇게 의외인가요?"

무려 켈리치.

초인형이라고 하면 역시나 압도적인 육체 능력이 특징이다. 조용하고 말이 없는 그녀는 분명 마법사형이라는 선입관이 있었는데…….

"……의외네."

"참고로 제 어라이즈는 순발형 육체 강화입니다. 방어 수단도 갖고 있으니 외람되지만 제게 맡겨주시는 건 나쁘지 않은 선택 중 하나입니다."

"알았어, 참고할게."

레셰가 독 꽃.

켈리치가 태양 꽃.

……이 조합이 가장 확실한 전술이야.

……걱정되는 건 **그만큼 제일 예측하기 쉽다는 점.**

가장 확실하기에 신 쪽도 예측하기 쉽다.

이것은 신의 게임. 작전을 읽혀도 승리할 정도로 간단하지 않을 것이다.

"그렇지. 게임 중에 꽃을 교환하는 건?"

『교환은 가능하지만 주의점이 있어요. 게임이 시작된 후 **손에 든 꽃이 없는** 상황이 잠시라도 발생할 경우, 꽃을 잃어버렸다고 판단되어 실격됩니다.』

"예를 들어 서로에게 꽃을 던져 건네려고 한다면……."

『꽃을 던지는 행위는 잠시나마 손에 든 꽃이 없는 상태가 되네요. 그 순간에 실격 판정이 되니 주의가 필요합니다.』

"……."

잠시 생각하고서.

"그렇군. 반대로 말하면 「양도」는 가능하다는 거야."

『양도라고 하시면?』

"예를 들어 위험해진 플레이어가 일방적으로 꽃을 던져 건넨다든가."

『가능합니다. 물론 꽃을 잃어버린 플레이어는 실격이 되지만요.』

일방적인 양도는 가능.

이론상 레셰에게 열다섯 개의 꽃을 전부 맡기는 것도 가능한 룰이다.

……하지만 리스크가 너무 커.

……누가 태양 꽃을 들고 있는지 한눈에 알 수 있으니까.

꽃을 양도하는 것은 최후의 수단.

필요한 것은 열다섯 명의 완전한 팀워크.

……무한신 우로보로스나 거신 타이탄 때와는 그게 달라.

……이 게임에 단독 행동은 안 돼. 모두가 태양 꽃을 사수해야 한다.

다크스와 켈리치.

그리고 카밀라가 이끄는 아크엔젤이 열 명. 그 대부분이 초면인 사도들이며, 그들과 호흡을 맞출 필요가 있다.

"페이, 네가 정해라."

팔짱을 낀 다크스가 눈을 감은 채 엄중히 말했다.

"이건 너희와 신의 게임이다. 태양 꽃과 독 꽃을 누가 지닐지 네가 정해라."

"다크스! 무슨 일이야?!"

그를 돌아본 카밀라가 믿을 수 없다는 표정으로 말을 이었다.

"평소라면 「태양 꽃을 지닐 사람은 나밖에 없다!」 하고 주장할 텐데."

"그렇지 않다."

"그러잖아! 어, 어쨌든 어떻게 된 거야? 어제 패배한 일을 마음에 둔 거야? 그래서 그에게 사양하는 거지?"

"하!"

다크스가 코웃음 쳤다.

"내가? 농담하지 마라, 카밀라. 내가 그런 한심한 꼴을 보일 거라 생각하나?"

"그, 그럼 대체 오늘따라 왜 그래……."

"아까 말했을 텐데. **무엇이든 한 가지 부탁을 들어준다는 약속을 했다고.**"

"……?"

"하지만 지금은 아무래도 좋다. 나는 순수하게 나의 유일무이한 라이벌이 신을 상대로 어떻게 나설지 흥미가 있을 뿐이다."

승격 선언.

아무래도 페이는 생애의 라이벌에서 유일무이의 라이벌로 승격한 듯하다.

"……뭐, 됐어. 그럼 페이, 우리의 어라이즈도 참고해줘."

카밀라가 꺼낸 IC카드.

팀 아크엔젤의 팀원 리스트. 카밀라를 포함한 열 명의 이름과 신들의 놀이 승패 수, 그리고 어라이즈의 내용이 기록되어 있다. 신비법원의 디바이스로 그것을 읽은 뒤.

"고마워. 파악했어."

"벌써?!"

"아니, 아직 가장 중요한 결정이 남아 있어."

누구에게 「태양」과 「독」을 맡길 것인가.

유력한 인물은 레셰와 켈리치.

특히 켈리치는 아크엔젤의 어라이즈도 페이 이상으로 숙지하고 있을 터. 그런 그녀가 자신에게 맡기는 것은 **나쁘지 않은 선택**이라고 말했다.

그 말의 이면을 어디까지 생각해야 할까.

"……정했어."

모두에게 알리듯 페이는 고개를 살짝 끄덕였다.

"우선 모두의 꽃을 내게 건네줘."

열다섯 송이의 꽃을 페이만 알 수 있도록 섞는다.

그리고 모두에게 재배분.

"다들 아까와 같은 요령으로 봉오리를 확인해줘. **다른 사람에게 보여주지 말고.**"

『……!』

『이건…….』

열네 가지 반응.

꿀꺽 숨을 죽이는 펄과 쿡쿡 미소 짓는 레셰.

말없이 팔짱을 끼는 다크스와 「그렇게 나왔군요」 하고 중얼거리는 켈리치.

팀 아크엔젤의 카밀라도 뭔가 알아차린 것처럼 표정을 굳혔다.

"이 시점에서 내 작전은 시작됐어. 구체적으로 어떤 작전인가 하면……."

페이는 모두의 앞에서 뒤를 돌아보았다.

지평선으로 흐릿하게 보이는 피라미드를 바라보며.

……태양 쟁탈 릴레이.

……타이탄이나 우로보로스 때와는 다르게 이번엔 처음부터 룰이 확실해.

태양 꽃을 피라미드까지 옮긴다.

물론 숨겨진 장치가 있겠지만 인류 측의 승리 조건은 명쾌하다.

"이건 어쨌든 모두가 달려 저 피라미드까지 도착하면 되는 거구나."

카밀라가 끼어들었다.

"태양 꽃을 든 사람을 모두가 지키면서 뛴다. 물론 태양 꽃을 든 사람도 여차하면 다른 사람에게 꽃을 양도할 필요도 있겠네."

"그래. 그게 정석이라고 생각해."

"그럼 페이. 태양 꽃을 든 사람이 누구인지 알려줘야지."

"……아니."

"응?"

"내 작전에 필요한 일이야. 태양 꽃의 주인은 누구에게도 알려줄 수 없어."

"뭐어어?!"

그게 무슨 말인가.

카밀라가 그렇게 묻기 전에, 페이가 입을 열었다.

"누가 태양 꽃을 들었는지 알려주면 모두가 그 사람을 지키려고 의식하게 돼. 그럼 태양 꽃의 위치를 신에게 들키잖아?"

아군에게 태양 꽃의 위치를 알려주면 신에게 들킨다.

아군에게 태양 꽃의 위치를 알려주지 않으면 신에게도 들키지 않는다.

……양쪽에 장점과 단점이 존재해.

……하지만 이 게임은 아마도 후자 쪽이 승리할 확률이

조금 더 높아.

그것이 페이의 가설이다. 그 이유는 「신이 익숙하기 때문」. 태양 쟁탈 릴레이라는 게임 이름 대로 태양 꽃을 **빼앗**는 것이라면 경험의 차이가 있다.

따라서.

이쪽이 도전해야 할 것은 신이 본 적 없는 새로운 전술.

"태양 꽃의 위치를 아는 건 나와 당사자뿐. 바꿔 말하면 모두 **자신이 태양 꽃을 든 것처럼 행동하며 피라미드까지 달려줬으면 해. 신을 속일 수 있도록.**"

『자, 그럼!』

미이프가 기쁜 듯이 밝은 목소리로 말했다.

『오래 기다리셨습니다. 우리의 주신 마아트마 2세님께서 등장하십니다!』

모래 언덕에서 인간 형태의 실루엣이 떠올랐다.

매를 모방한 맹금류 가면을 쓰고 빛나는 지팡이를 든 신이.

『게임은 아직인가?』

"와…… 이, 이게 뭔가요?! 제 귀에……?"

펄이 자신의 귀를 두 손으로 막았다.

대기를 통한 목소리가 아니다.

신의 목소리가 페이 일행의 뇌에 꽂히듯이 직접 전달됐다.

"염화인가?"

신이 인간과 의사소통하기 위한 방법이다.

많은 신은 인간의 언어를 적극적으로 사용하려 하지 않는다. 그것을 대신하는 전달 수단이 염화^{텔레파시}다.

"저, 저기요!"

신의 염화에 끼어든 펄.

모래 언덕에 선 신을 올려다보며.

"꼭 여쭙고 싶은 게 있는데…… 신님이신데 마아트마 2세라니, 혹시 1세인 신님도 계시나요?"

『없다.』

"헷갈리네요?!"

『이 세상 모든 것은 게임이다. 내 이름도 마찬가지.』

신이 지팡이를 들었다.

그 끝에 달린 유리 형태의 구체 안에 페이 일행과 같은 꽃봉오리가 있었다.

……저게 신이 가진 꽃인가.

……십중팔구 태양 꽃이 확실하겠지.

태양 꽃을 빼앗기면 곧바로 패배하는 규칙에서, 신이 일부러 태양 꽃 이외의 것을 지닐 리가 없다.

빼앗을 테면 빼앗아봐라.

그 압도적인 자신감이 꽃을 담은 지팡이를 들어 올리는 동작에서 흘러나왔다.

좋아. 그렇게 나와야지.

그렇다면.

그 장치에 정면으로 대결하는 게임을 해보지.

『게임을 시작한다. 인간이여. 모든 지능과 능력으로 겨뤄보……?』

마아트마 2세의 염화가 멈췄다.

매 가면이 아래를 내려다보며.

『인간. 뭐하는 것이냐. 그 행동은.』

"보시다시피."

"게임을 시작할 거지? 그러니까 시작했을 뿐이야."

오른손을 든다.

페이와 레셰. 신의 앞에 선 두 사람의 선언이 신. 그리고 이 싸움을 지켜보는 몇 십만 명의 관객에게 충격을 주었다.

"태양 꽃을 가진 건 나다."

"태양 꽃을 가진 건 나야."

━━━━━━

신비법원 루인 지부.

그 빌딩 7층에 있는 집무실에서.

"뭐어어어어?!"

사무장 미란다는 머리를 감싸 쥐며 소파에서 벌떡 일어났다.

벽에 달린 모니터에 두 손을 대고 거기에 비친 소년과

소녀를 빤히 노려보았다.

"자, 잠깐, 페이 군?! 레셰 님?! 그게 어떻게 된 거야?!"

태양 꽃을 빼앗기면 곧바로 패배.

그렇기에 열다섯 명이 협력해 골인 지점까지 빼앗기지 않도록 누가 태양 꽃을 지녔는지 속이자고.

그 작전을 지켜봤건만 **이렇게** 나왔다.

"어째서 자기 입으로 꽃의 위치를 고백하는 거야?! 아까 세운 작전은?!"

미란다도 신비법원의 사무장.

두 사람이 무언가를 노리고 있다는 사실은 알 수 있다. 어디까지 정확하게 파악했는지는 자신이 없지만, 이 두 사람이 하는 행동에는 반드시 이면이 있을 것이다.

그것은 알겠는데…….

"시작되자마자 그러는 게 어디 있어."

소파에 털썩 앉았다.

무릎을 안고서 하늘을 올려다보듯 천장을 향해 숨을 내쉬었다.

"신도 분명 깜짝 놀랐겠지. 이건 분명 페이 군과 레셰 님이 사전 합의하지 않은 애드리브잖아?"

그와 같은 시각.

신비법원 마르 라 지부.

빌딩 지하 1층, 운디네 거신상이 놓인 다이브 센터 안에서 모니터를 집어삼킬 듯이 올려다보는 사람들이 있었다.

"페이 공?! 대, 대체 어떻게 된 거지?!"

사막에 선 소년을 올려다본 넬은 무심코 그 이름을 불렀다.

무슨 일이 벌어진 것일까.

관객으로서 게임을 지켜봤는데도 이 상황을 이해할 수 없었다.

"표명도 그렇지만, 어째서 두 사람이지?!"

태양 꽃은 하나.

그러나 태양 꽃을 갖고 있다고 자백한 사람이 둘이나 나타났다.

"……어느 한 쪽은 거짓말일 터."

가능성 1 : 페이가 거짓말했다. (태양 꽃은 레셰)
가능성 2 : 레셰가 거짓말했다. (태양 꽃은 페이)

"아마도…… 페이 공과 레셰 님 중 누군가가 태양 꽃을 들고 있고, 다른 한쪽이 독 꽃을 들고 있을 거야!"

신 쪽의 승리 조건은 태양 꽃을 빼앗는 것.

페이나 레세 중 누군가의 꽃을 반드시 빼앗아야 한다. 그 선택에 실수할 경우, 확실하게 독 꽃을 쥐게 될 것이다.

그 도박의 무대를 만든 것이다.

"넬."

옆에 선 바레가 사무장이 의심스럽다는 듯이 입을 열었다.

"십중팔구 네 추측이 맞겠지. 하지만 세 번째 가능성이 있을 것 같지는 않나?"

가능성 3 : 두 사람 모두 거짓말했다.
(태양 꽃은 남은 열세 명 중 누군가가 소지)

"……물론 그럴 수도 있을 겁니다. 하지만……."

입술을 깨문다.

분한 것이 아니다. 흥분돼서 몸이 떨리기 때문이다. 대체 저 두 사람은 어디까지 관전자들의 예상을 벗어나는 것인가!

"남은 열세 명 중 누군가가 태양 꽃을 지녔다 하면 독 꽃을 빼앗게 하려는 도박치고는 약해요."

자신을 노려라.

그런 강제 양자택일을 들고 나와야 의미가 있다.

두 사람 중 누가 태양 꽃을 소지하고 다른 한쪽이 독 꽃을 소지하고 있다.

독 꽃을 잡히면 승리가 거의 확실하다는 것이라면.

이거라면 승률 50퍼센트.

신들의 놀이에서 인류 측의 승률이 10퍼센트 전후인 것을 고려하면 두 사람이 내건 도박은 상당히 유리한 셈이다. 하지만.

……**정말로?**

작은 위화감이 넬의 가슴에 걸려서 떨어지지 않았다.

자신들의 상상을 뒤엎을 무언가가.

거기에 굉장한 어떤 일을 해줄 것만 같은 그런 예감이 가져다주는 고양감이 온몸을 뜨겁게 달구었다.

"……페이 공. 지켜보겠어!"

═══════════

그때.

전 세계의 관전자, 펄과 켈리치, 동료인 팀 아크엔젤의 멤버들조차 페이가 무엇을 노리는지 정확히 이해한 사람은 없었다.

정확히 말하자면 놓치고 있었다.

거대 모니터의 구석. 페이와 레셰가 비치는 그 안쪽에서.

"……흥. 페이, 네 계획을 받아주지."

단 한 사람.

마르 라의 에이스 다크스가 당당한 미소를 짓고 있었고.

이 남자만큼은 세계의 누구보다 먼저 정답에 「도달」해 있었다.

가능성 1 : 페이가 거짓말했다. (태양 꽃은 레셰)

가능성 2 : 레셰가 거짓말했다. (태양 꽃은 페이)

가능성 3 : 두 사람 모두 거짓말했다.

　　　　　(태양 꽃은 남은 열세 명 중 누군가가 소지)

정답은 4.

존재하지 않을 가능성 4를 노려야만 신에게 도전하는 게임이라 할 수 있다.

2

태양의 열기가 작렬하는 사막.

신 마아트마 2세가 내려다보는 곳에서는 페이와 레셰를 제외한 거의 대부분의 사람이 멍하니 반쯤 입을 벌리고 있었다.

이 두 사람이 지금 뭐 하는 거지?

페이와 레셰가 무엇을 노리는지 알 수 없다.

그런 주변 반응에 페이는 내심 고개를 끄덕였다.

……이거면 돼.

……동료를 속이지 못할 정도라면 신을 속이는 건 더 불가능하니까!

유일한 계산 착오가 있다면.

레셰가 자신과 똑같이 말한 것이다. 원래는 자신 혼자 행동하려 했지만, 결과적으로 상황은 더 극적으로 변했다.

……나와 레셰의 선언은 얼핏 보면 완전히 똑같아.

……하지만 노림수는 전혀 다르지.

그런 생각을 한 페이가 올려다본 것은 이 엘리먼츠의 창조자인 신이다.

매 가면을 쓴 마아트마 2세.

그 뒤에는 모래로 된 비스트 세 마리가 대기하고 있었다.

"게임 스타트는? 아니면 이제 피라미드를 향해 뛰어도 돼?"

『미이프여, 종을 울리거라.』

『네~ 오래 기다리셨습니다, 여러분. 그럼…….』

하늘을 나는 미이프가 손에 작은 종을 들고 내려왔다.

사랑스러운 동작으로 그것을 높이 들고서.

딸랑.

『게임을 시작합니다!』

완벽히 동시였다.

지평선 너머에 우뚝 솟은 피라미드를 향해 페이 일행 열다섯 명이 달리기 시작한 것과.

신이 석장으로 사막을 찌른 순간이.

『오너라, 나의 군대여.』^{서몬 캣}

사막이 흔들렸다.

신에게서 멀리 떨어진 페이 일행에게도 닿을 정도의 흔들림을 따라 신을 둘러싸듯 발밑의 모래가 점점 솟는 것이 아닌가.

모래가 모여들어 두 발로 선 비스트가 생겨났다.

『야옹.』

"앗! 또 저 고양이 골렘이!"

"……왜 기뻐하는 거야, 펄."

"귀엽잖아요!"

펄이 돌아본 곳에.

대량의 모래가 모여 새로운 비스트들이.

『야옹.』『야옹.』

『야옹.』『야옹.』『야옹.』『야옹.』『야옹.』『야옹.』『야옹.』
『야옹.』

『야옹.』

『야옹.』『야옹.』

"……야, 잠깐만."

『야옹.』『야옹.』『야옹.』『야옹.』『야옹.』『야옹.』『야옹.』
『야옹.』『야옹.』『야옹.』『야옹.』『야옹.』『야옹.』『야옹.』『야

옹.』『야옹.』『야옹.』『야옹.』『야옹.』『야옹.』『야옹.』

"너무 많잖아?!"

계속해서 생겨난다.

수많은 비스트들이 페이가 올려다보는 모래 언덕을 가득 채웠다.

『장관이로다.』

자신이 소환한 군대를 앞에 두고 만족스러운 듯이 끄덕이는 마아트마 2세.

참가자 수가 두 자릿수 부족하다.

돌이켜보면 게임이 시작하기 전에 미이프가 분명 그렇게 말하긴 했지만⋯⋯.

『참가 수 15 대 1,667. 그러면 정정당당히 겨뤄보자꾸나.』

"그게 어딜 봐서 정정당당이라는 거야?!"

페이를 포함한 열다섯 명의 비명이 사막에 울려 퍼졌다.

VS『태양의 군신』마아트마 2세

게임, 개시.

Player.6   태양은 어디로 사라졌는가

1

마아트마 2세.

신비법원이 보유한 데이터 북 『백과신서』에 따르면.

최근 30년의 조우 수는 세계 통계로 11번, 승률은 2승 9패 (18퍼센트). 이것은 신들의 놀이에서 인간 쪽 승률치고는 무척이나 높은 편이다.

다만.

승리한 두 번은 전부 사도가 30명 이상의 파티를 맺었을 때.

과거의 기록을 아무리 거슬러 올라가도 「20명 이하」로 도전해서 이 신에게 승리한 사례는 찾아볼 수 없었다.

『게임의 참된 맛은 「숫자」에 달렸다.』

태양의 군신(軍神) 마아트마 2세.

수많은 병사를 이끄는 특성으로 『MMT』=Massively(대규모) Multiplayer(다인형) Tactics(전술계)를 좋아한다.

"아니, 알고 있었을 리 없잖아! 나도 참 바보지!"

작열의 모래를 달리는 열다섯 명.

그 선두를 달리는 인물은 팀 아크엔젤의 리더인 카밀라다.

"상대는 신과 부하 세 명, 이쪽은 레오레셰 님을 포함해 열다섯 명이니 낙승이라고 생각했는데, 말도 안 되는 계산 착오였어!"

『태양 쟁탈 릴레이』, 개시.

이 사막의 한복판에서 아득한 지평선에 우뚝 솟은 피라미드를 향해.

이를 맞이하는 신의 군대.

뒤쪽 모래 언덕에서 노도와 같은 기세로 달려오는 1,667마리의 비스트들이었다.

"……이러면 그냥 술래잡기나 마찬가지잖아!"

그때.

갈색 소녀 켈리치가 그 뒤에서 따라와서는.

"데이터 담당 캐릭터인 당신이 데이터 해석을 게을리하다니. 아이덴티티 상실 아닙니까?"

"시끄러워!"

"그리고 한 가지 더. 꽃을 손에 드는 건 추천하지 않습니다. 옷 안에 넣어둬야 합니다."

"진짜 말이 많네?! ……뭐, 그건 확실히 그렇긴 한데."

"그럼 전 이만."

마치 폴짝폴짝 뛰듯. 발 딛기 어려운 모래 위를 우아하게 달리는 켈리치.

그 모습에 펄의 눈이 휘둥그레졌다.

"와! 켈리치 씨, 엄청 빨라요!"

"……자신 있다고 말할 만하네."

초인형은 육체 능력에 은혜를 받는다.

다만 정도는 천차만별. 페이가 일반인과 크게 다름없는 반면, 켈리치는 그야말로 초인이라고 부르기에 어울리는 육체였다.

게다가 아직 어라이즈를 발동조차 하지 않았다.

"……기대해도 되겠어. 그렇다면 그게 이렇게 돼서 태양 꽃이……."

"페이 씨, 왜 그러세요?"

"계산했어. 앞으로의 전개가……."

펄에게 말하던 중.

쿵! 하는 땅울림과 함께 모래먼지가 하늘 높이 피어올랐다.

"크, 큰일 아닌가요?!"

『야옹!』

『냐아!』

모래 먼지를 자욱이 피우며 비스트들이 급가속.

인형처럼 사랑스러운 외모지만 신장 2미터. 체중은 100킬로 이상. 그것이 천 마리 이상이나 달려오는 광경은 그야말로 모래 해일이 밀려드는 것만 같은 중압감이 있다.

게다가 빠르다.

돌아보기 전에는 모래 위에 있었던 군대가 이미 모래 언덕을 내려오고 있었다.

"200미터 내리막을 내려오기까지 12초가 걸렸다면 시속 60킬로. 가볍게 따라잡히겠는걸."

"태연하게 패배 선언하지 말아 주실래요?!"

"아니, 예상대로야."

사막의 술래잡기는 신 측이 유리.

인간 측이 피라미드에 도착하는 것보다 비스트에게 붙잡히는 쪽이 빠르다. 그렇지 않으면 게임이 성립하지 않기 때문이다.

"여기까지는 정해진 거야. 설령 우리가 시속 80킬로로 도망친다면 비스트는 시속 100킬로로 따라오는 설정이 되겠지."

"역시 패배 선언이잖아요?!"

"그걸 어떻게든 극복하는 게임이야."

이것이 『태양 쟁탈 릴레이』.

지평선 너머의 피라미드까지 달려가는 것이 승리 전제.

거기에 신의 군대가 **인간 이상의 속도로 따라잡는** 것이 이 게임의 핵심일 것이다.

……피라미드에 도달하기 전에 따라잡혀.

……그러니까 수를 써보라는 거야. 어라이즈나 게임 속의 장치로.

태양 꽃과 독 꽃.

이건 페이의 감이지만, 피라미드까지의 릴레이가 너무 단순하다는 점이 부자연스럽다. 사막을 일직선으로 달리는 레이스일 것 같지는 않다.

"……신의 게임치고는 너무 단순해. 이 게임이 마라톤이라면 피라미드까지 가는 길 몇 군데에 경유 지점이 있을 테고, 사막이기에 가능한 장치도 숨어 있지 않을까?"

지금 시점에서 알고 있는 정보는.

게임 내용 『태양 쟁탈 릴레이』.
【승리 조건 1】 피라미드까지 달려가 태양 꽃을 피라미드
의 최상단 재단에 바칠 것.
【승리 조건 2】 신 팀의 태양 꽃을 빼앗는 것.
【패배 조건 1】 아군 팀의 태양 꽃을 빼앗기는 것.
【룰】 잠시라도 소지한 꽃의 개수가 0이 된 자는 그 자
리에서 실격.
【중계 지점】 ???

그렇게 페이가 생각한 순간.

"선두의 인간!"

제일 뒤에 있던 레셰가 외쳤다.

이전 신의 갑작스러운 부름에 켈리치가 놀라며 뒤를 돌아보았다.

"피해!"

"……어?!"

"켈리치, 뒤로 물러나!"

연이어 들린 것은 다크스의 노성이었다.

이유를 물을 틈도 없이 켈리치가 모래를 박찼다.

그와 동시에.

신의 군대 최후미에서 삼각 모자를 쓴 비스트가 지팡이를 들어 올렸다.

마치 동화 속 마법사와 같은 행동으로.

『신벌이다냥!』

검은 바람이 소용돌이쳤다.

주변의 모래를 모조리 빨아들이는 검은 소용돌이가 선두를 달리던 켈리치의 발밑에서 솟구쳐 올랐다.

무척이나 거대한 소용돌이가.

"모래 폭풍?!"

켈리치가 전력으로 물러났다.

1초만 늦었더라면 소용돌이에 휘말려 탈락했을 것이다.

"뭐, 뭐예요, 저 사이클론?! 저런 거에 휘말렸다간 분명 죽을 거라고요!"

목이 쉬어라 외치는 펄.

"저 고양이 골렘들, 원거리 마법도 가능한가요?!"

비스트 군대로부터 조금이라도 멀어지도록 전력으로 도망친다.

그 안전책이 안전하지 않았다.

……선두를 달리던 건 켈리치.

……지금 마법은 신의 군대로부터 너무 멀어진 인간에 대한 패널티인가!

가까워지면 붙잡는다.

그렇다고 안전권으로 도망치면 원거리에서 공격 마법이라는 신벌을 내린다.

"저 모래 폭풍, 아마 인간은 견딜 수 없을 거야."

하늘을 찌를 기세의 소용돌이를 올려다보는 레셰.

"우로보로스의 게임에서 꼬리를 때리면 광선으로 공격했잖아? 그것하고 같아."

벽처럼 솟은 신의 소용돌이.

그 바람이 불어 닥치는 와중에 뒤에서는 모래로 된 병사들이 달려들었다.

『냐아!』

"윽! 비스트가?!"

"리더, 따라잡혔…… 크악?!"

팀 아크엔젤의 한 명의 말이 끝내기 전에 비스트에게 붙잡혔다.

인형처럼 귀여운 모습이어도 어엿한 신의 군대다. 그 완력으로 목을 붙들리면 초인형이라 해도 쉽게 빠져나올 수 없다.

게다가 지근거리에서 마법을 쏘면 아군이 맞기 때문에 마법사형 사도는 공격할 수 없다.

"사, 살려줘!"

"이…… 괴물 고양이가?! 놔!"

동료를 구출하기 위해 비스트의 뒤에서 다른 사도가 공격했다.

……푸슥.

모래로 된 비스트의 육체는 초인형 사도가 공격해도 금세 재생됐다.

『냐아!』

"이런?!"

비스트의 목소리와 사도의 비명이 동시에 터져 나왔다.

모래 골렘의 손에 있는 것은 사도에게서 빼앗은 꽃봉오리. 그것이 천천히 펼쳐지더니 첫눈처럼 하얀 꽃이 피었다.

모래 꽃.

그것을 빼앗겨도 게임의 승패에는 영향이 없다.

그러나 빼앗긴 인간은 탈락하는 룰.

"큭?!"

리더인 카밀라가 손을 뻗었지만 이미 늦었다.

남자 사도가 빛에 휩싸이더니 아지랑이처럼 사라졌다.

한 명 탈락. 인간 측 남은 인원, 열네 명.

그 카밀라에게.

비스트들이 눈사태처럼 날아들었다.

"이게?! ……얕보지 말라고!"

카밀라의 손끝에 빛이 밝혀졌다.

푸른 빛. 그것이 펼쳐진 순간, 사막에 블리자드를 방불케 하는 날카로운 냉기가 들이닥쳤다.

"동결탄!"
^{프로스트바이트} ← 동결탄 위 루비

얼음 탄환이 달려든 비스트에게 직격.

온몸이 순식간에 얼어붙어 푸른 얼음 동상이 됐다. 아무리 모래로 된 몸이라지만 온몸이 얼어붙으면 움직일 수 없으리라.

"어, 어째!"

『야옹.』『야옹.』『야옹.』『야옹.』『야옹.』『야옹.』『야옹.』

"너무 많잖아?!"

얼어붙은 비스트를 뛰어넘어 공격해오는 수십 마리의 병사들.

얼리는 것도 한계가 있는 데다 마법사형 사도는 마법을 쏠 때 쿨다운을 위한 일정 시간이 필요하다. 연발은 불가능하다.

"다크스!"

카밀라가 외친 곳에는 비스트와 눈싸움 중인 검은 코트의 청년이 있었다.

"멍하니 보지 말고 움직여!"

"······그렇군."

흥, 하고 코웃음 친 다크스.

마르 라의 에이스인 남자가 우아한 동작으로 코트를 펄럭였다.

"나로서는 페이의 플레이 관찰에 집중하고 싶지만, 팀이 위험하다면 그럴 수도 없지. 궁지에 빠진 동료에게 손을 내미는 것도 게임의 묘미이니······."

"됐으니까 빨리!"

"그럼 보아라, 신과 그 군세들이여! 이것이 내 힘이다!"

모래로 된 벽처럼 밀려드는 비스트에게.

다크스가 자신의 오른손을 뻗었다.

"다크스 허리케인!"

"······."

그 몇 초간.

페이는 궁지에 빠진 것도 잊고 머리가 새하얘질 수밖에 없었다.

다크스 허리케인? 이틀 전 『Mind Arena』에서 펄 파이어에 대항해 다크스 선더라는 카드 명이 등장했던 것도 같은데.

"……저, 다크스. 그건 주사위 게임의 기술 이름 아니야?"

페이가 말한 순간.

쿵!

칼바람처럼 날카로운 돌풍이 달려드는 비스트들을 차례
차례 쓸어버렸다.

"정말로 그 이름이었어?!"

다크스 기어 시미터.

그가 일류『바람』마법사임은 신비법원 데이터에 기록되
어 있고, 당연히 페이도 확인해두었다.

하지만. 마법명에 그런 이름을 붙였을 줄이야.

"아…… 아름다워……!"

오직 펄만이 어깨를 파르르 떨며.

"위력, 네이밍 센스 모두 훌륭해요! 이건 질투 날 정도라
고요!"

"감탄할 때야?! 위다, 펄!"

"흐에?"

멍하니 공중을 올려다보는 펄.

다크스 허리케인의 돌풍을 피한 한 마리가 모래를 박차
고 높이 뛰어올랐다. 고양이와 같은 순발력으로.

"찌, 찌부러지긴 싫어요!"

펄이 다급히 후퇴. 그러나 발 딛기 어려운 사막이다. 띈

다고 해도 수십 센티 도약이 고작. 거기에 비스트의 손이
뻗더니.

촥.

비스트의 손톱이 목 옷깃을 스쳐 어깨 부근까지 스쳐지
나가며 무엇인가가 찢어졌다.

"아……."

천이 찢어지며 앞섶의 단추까지 세차게 튕겨져 떨어졌다.

햇살 아래.

흡사 완숙한 야자열매처럼 풍만한 두 언덕과 그 사이로
이루어진 깊고 깊은 골이 드러났다.

"시, 싫어어어어어어?!"

『야옹!』

비명을 지르는 펄.

거기에 신의 군대가 밀려들었다. 비스트들은 품에 숨겨
둔 꽃을 노릴 뿐이지만 요염한 분위기가 연출됐다.

"……펄, 너 설마 일부러 그러는 거야?"

"제가 뭘 일부러 그랬다는 거예요오오오?!"

울상이 된 펄은 벌어진 가슴을 한 손으로 가리면서 다른
한 손을 위로 뻗었다.

"더 원더링!"

황금색 워프 포탈을 생성.

다급히 거기로 뛰어들어 30미터 너머에 생성한 워프 포

탈까지 순간 전이.

그러나.

펄은 잊고 있었다. 옷이 찢긴 충격으로 머릿속이 새하얘진 탓에 잊었지만, 지금 자신들은 천 마리 이상의 군세에 쫓기고 있다.

다시 말해 어디로 도망쳐도 비스트가 있다.

『냐아!』

"여기에도 고양이 골렘이?!"

전이한 곳에도 비스트가 나타났다.

그리고 펄의 「변덕스러운 여행자」는 강력한 만큼, 쿨타임도 30초나 된다. 다시 말해 이제 도망칠 수 없다.

"사, 살려주세요!"

『야옹!』

비스트가 펄을 뒤에서 붙들었다.

벌어진 옷의 안주머니에 꽃이 보인 동시에, 뒤에서 팔을 붙들린 펄은 속옷이 드러난 상태가 됐다.

"지금 여러모로 절체절명인데요오오오?!"

『냐아!』

그런 펄의 풍만한 가슴을 향해 다른 비스트가 눈을 반짝이며 손을 뻗었다.

"엉큼한 고양이는 싫습니다."

비스트가 날아갔다.

펄의 앞으로 뛰어온 갈색 소녀가 그 주먹으로 모래로 된 거구를 날려버렸다.

"……켈리치 씨?!"

"비스트에게 꽃을 빼앗는 것도 방법이지만, 차라리 파괴하는 편이 빠를 것 같네요."

켈리치 시의 어라이즈는 『연기집중』.
^{오라 드라이브}

사지에 충격파를 둘러 주먹과 발차기를 강화한다. 거의 배틀 게임에 특화된 힘으로, 이런 게임에서는 그 특성을 살릴 수 있다.

"전 복싱 라이선스 보유자입니다."

"네에?!"

"안 어울린다는 말을 자주 들어요."

링 위에 선 복서처럼 몸을 굽힌 채 펄을 붙든 비스트의 바로 앞까지 한달음에 파고들었다.

『야옹?!』

"저리 가, 엉큼한 고양이."

켈리치의 어퍼컷이 비스트를 날려버렸다. 『냐아아』 하는 비명을 지르며 쓰러진 골렘이 모래로 돌아갔다.

"크, 콜록…… 고, 고마워요!"

주저앉은 펄이 비틀거리면서도 일어났다.

"……이것이 바로 『코즈믹 임팩트』!"

"그런 이름을 붙인 적 없습니다. 지금은 같은 팀이니 손을 내미는 게 당연하죠. 그리고 단순하게 어린 처자를 희롱하는 파렴치한 고양이를 물리친다는 의미도 있었습니다."

평소처럼 무표정한 켈리치.

그리고.

그 눈빛이 펄의 드러난 가슴 부근에서 정지했다. 한 손으로 가렸지만 전부 가려지지 않은 압도적인 그것을 빤히 바라보며.

"왜, 왜 그러세요?"

"아무것도 아닙니다."

시치미를 떼듯이 고개를 돌린 켈리치.

"……구하지 말걸 그랬어."

"그게 무슨 뜻이에요?!"

비명과 노성.

펄과 켈리치가 돌아본 곳. 팀 아크엔젤의 멤버들이 비스트에게 포위된 것은 바로 그때였다.

유명인에게 몰려드는 팬처럼 인간 팀이 지닌 꽃을 빼앗으려는 비스트가 계속해서 밀려들었고, 숨겨뒀던 꽃을 빼앗기고 말았다.

"다들?!"

그렇게 소리친 카밀라의 눈앞에서 빛 속으로 사라지는 아크엔젤의 사도. 그 탈락에 아쉬워할 틈도 없이 신의 군대가 모래 먼지를 일으키며 달려들었다.

"쳇."

다크스가 혀를 찼다. 마법사형의 약점이다. 강력한 광범위 마법을 쓸 수 있지만, 이런 상황에서는 아군까지 휘말린다.

"카밀라, 네 마법은?"

"……틀렸어. 너무 늦어!"

리더인 카밀라가 입술을 깨물었다.

이쪽은 쿨다운 중. 비스트를 닥치는 대로 얼리고 있지만, 강력한 마법일수록 긴 쿨다운이 필요하다.

"수가 너무 많아! 이러다 우리…….'"

"엎드려!"

"어?"

"지금 남아 있는 인원, 전원 충격에 대비해 숙여!"

페이가 목이 갈라져라 외쳤다.

제일 뒤에 있던 주홍색 머리 소녀가 흥분한 듯 눈을 반짝이고 있었기 때문이다.

"어쩔 수 없네."

밝은 목소리로.

그 입가에 사랑스러운 미소를 보이며.

"힘으로 밀어붙이는 건 좋아하지 않지만, 이렇게 차이가 많이 나니까 어쩔 수 없지. 아아~ 날뛰는 건 별로 좋아하지 않는데 말이야."

거짓말하지 마.

페이와 펄, 멀리 루인 지부의 미란다 사무장이 일제히 그렇게 항의하는 와중.

"부서져."

용신 레오레셰의 주먹이 사막을 갈랐다.

모래로 된 바다가 두 동강난다.

천지가 뒤집히는 것처럼 땅이 울리더니, 빌딩조차 무너뜨릴 정도의 충격파가 지평선까지 퍼지더니.

『야옹!』『냐아, 냐, 냐아?!』

거대한 크레바스.

바닥이 보이지 않는 틈새로 몇 백 마리의 비스트들이 계속해서 떨어졌다.

"자, 이틈에 도망치자."

아무 일도 없었던 것처럼 달리기 시작한 레셰. 주먹 한 방으로 대지를 몇 킬로 이상 갈랐지만 본인은 무척이나 담담한 표정이었다.

"……혹시 화나면 인류가 위험한 수준 아닙니까?"

"쉿, 들리겠어."

놀란 켈리치에게 그렇게 답한 페이는 레셰의 뒤를 따라 달렸다.

"레셰, 조심해. 비스트들과 거리를 너무 벌리면 위험해."

"방금의 신벌 말이지?"

레셰가 속도를 떨어뜨렸다.

페이와 펄을 포함한 **아홉 명의 속도에 맞췄다.**

"따라와. 이 크레바스도 바로 복구될 거야."

"……큭. 다들 가자!"

팀 아크엔젤의 카밀라가 남은 동료 넷에게 그렇게 말했다.

다들 비스트의 공격을 받아 온몸이 모래투성이로 만신창이가 됐다.

인간 팀, 남은 인원 열 명.

뒤에서 울리는 굉음.

페이가 돌아보자 레셰의 주먹이 만든 갈라짐이 점점 복구되어갔다.

……레셰의 말 대로네.

……여기는 마아트마 2세의 엘리먼츠. 사막 정도는 얼마든지 재생할 수 있어.

크레바스를 뛰어넘는 비스트.

피라미드까지의 레이스도 곧 재개……되는가 싶었더니.

"어라?"

"뭘까?"

선두를 달리던 레셰와 카밀라가 진행 방향을 보며 말했다.

달리는 동안.

대기를 흔들던 아지랑이가 사라지고 거기에 감춰져 있던 것이 드러나 있었다.

사막 사이로 보이는 생기 넘치는 녹지대가.

"숲?"

"……아, 아니요. 저건 오아시스예요, 레오레셰 님!"

지하수라는 수원에서 식물이 자란 국지적인 녹지대.

이곳은 신이 창조한 게임 세계. 이 오아시스도 마아트마 2세가 무언가를 노리고 마련한 장치일 것이다.

"……흥. 평범한 경주인가 싶었더니 여기까지 와서 사막이기에 가능한 장치인가."

다크스의 수상히 여기는 중얼거림.

"켈리치, 저걸 어떻게 생각하지?"

"함정일 가능성도 고려해야 됩니다."

갈색 소녀가 즉답.

"우리의 목적은 저 너머의 피라미드예요. 저런 수상한 오아시스에 들리는 건 시간 낭비. 그대로 무시하고……."

『네, 네. 오래 기다리셨습니다!』

오아시스의 자연 속에서 미이프가 나타났다.

『중계 지점에 어서 오세요. 이곳은 인간 팀을 위한 휴식 지점으로, 비스트에게 들키지 않는 안전한 결계로 되어 있습니다.』

"됐습니다."

단칼에 사양하는 켈리치.

"이대로 피라미드까지 직진할 겁니다. 안녕히 계시길."

『아. 깜박했는데요.』

미이프가 손을 탁 쳤다.

『이 게임에는 「열사 게이지」라는 숨겨진 파라미터가 존재합니다. 이 『태양 쟁탈 릴레이』를 더 달아오르게 만들어주는 요소죠.』

"……?"

『사막의 햇살을 받아 축적되며, 20분 이상 연속으로 햇살을 받으면 열사 게이지가 가득 찹니다. 여러분은 이미 18분 경과했으니…….』

"다 차면 어떻게 됩니까?"

『즉사 처리로 게임 오버됩니다.』

"그런 건 게임 전에 말해야죠오오오?!"

『말하면 **숨겨진** 게 아니니까요.』

게임 오버까지 앞으로 2분.

게이지 처리에 혈안이 된 일행 열 명은 오아시스로 들어갔다.

싱그러운 자연의 낙원.

거기에 들어간 순간, 기분 좋은 서늘한 바람이 페이의 목을 스쳤다. 온몸의 열기가 빠져나가는 감각.

……모르는 사이에 이렇게 몸이 뜨거워졌던 건가.

……열사 게이지라는 것도 거짓말이 아니었던 모양이야.

그리고, 아름다운 녹색 대지.

야자나무 아래에는 형형색색의 꽃이 피었고, 그 너머에는 끊임없이 물이 솟아나는 샘이 보였다.

"……어, 어쩐지 정말로 안전지대 같은 분위기네요."

조심스럽게 주위를 둘러보는 펄.

찢어진 상의의 끝을 어깨 부근에서 묶어 간신히 가슴을 가리는 응급처치도 끝나는 듯했다.

"저거 봐, 페이!"

레셰가 가리킨 것은 모래 언덕을 돌진하는 신의 군대였다.

페이 일행이 오아시스에 들어온 순간, 비스트들의 머리 위에 「?」마크가 떠오른 것처럼 이쪽을 찾지 못하는 모습이었다.

"……잠깐은 쉴 수 있겠어."

"저기, 페이 씨. 처음에 세운 작전은 괜찮을까요?"

조심스럽게 물어보는 펄.

"피라미드까지 절반 정도 남았잖아요. 하지만 우리도 탈락자가 생겨 열다섯 명에서 열 명으로 줄었어요……."

"작전을 미세 수정할 필요는 있을 거야."

"미세, 요."

"그래. 결국 이 게임은 우리가 태양 꽃을 빼앗기지 않는 한 어떻게든 돼. 아군이 희생됐다 해도 그 덕분에 순조롭게 달려온 편이라고…….”

그때.

“아! 지금 제가 재밌는 트릭이 떠올랐어요!”

펄이 힘차게 손을 들었다.

“페이 씨는 아시겠지만 제가 이 게임에서 아직 사용하지 않은 힘이 있어요.”

“……위상 교환 말이야?”
<small>시프트 체인지</small>

펄의 전이 능력은 두 가지다.

하나는 게임에서도 이미 사용한 텔레포트, 다른 하나는 시프트 체인지.

펄이 과거 3분 이내에 만진 물건과 물건, 혹은 사람과 사람의 위치를 바꿀 수 있다.

과거 펄은 이 힘을 잘못 사용해 예전 팀을 패배로 몰아넣은 과거가 있지만 능력 그 자체는 무척이나 응용력이 높다.

“태양 꽃을 가진 사람이 붙잡힐 것 같으면 시프트 체인지로 순식간에 다른 꽃과 교환할 수 있어요! 저와 30미터 이내에 있는 것이 조건이지만요.”

“그래. 실은 나도 그걸 고려했었는데…….”

잠시 침묵.

“예를 들어 내가 태양 꽃을 가지고 있다고 하자. 내 손에 있는 태양 꽃과 펄의 손에 있는 꽃을 순식간에 바꿀 수 있다는 거잖아?”

"네!"

"……."

강력하다. 태양 꽃을 빼앗기지 않는 방법으로는 상당히 강력하다.

하지만.

"펄, 미이프의 주의사항에 걸릴 가능성은 어때?"

『게임이 시작된 후 **손에 든 꽃이 없는** 상황이 잠시라도 발생할 경우 꽃을 잃어버렸다고 판단되어 실격됩니다.』

"이 **잠시**라는 게 걸려. 펄의 시프트 체인지로 나와 펄이 든 꽃이 교환될 때, 서로의 손에서 꽃이 잠시 사라지게 돼."

"앗?!"

"판정이 어떻게 될지 실제로 시도해보는 것도 리스크가 크니까."

"……그, 그러네요오."

펄의 어깨가 힘없이 늘어졌다.

"좋은 방법이라고 생각했는데, 별 도움이 안 되는 말이었네요……."

"아니, 도움이 돼. 그런 아이디어는 언제든 환영이고, 내가 지금 생각하는 트릭도 그것과 비슷한……."

거기까지 말한 순간.

『여러분. 물 드실 시간입니다.』

덤불에서 열 마리가량의 미이프가 나타났다.

작은 병을 들고서.

『이 오아시스를 발견한 여러분께 특별 음료를 제공합니다. 이 음료를 마시면 열사 게이지 상승을 억제할 수 있습니다. 벌꿀 주스, 코코넛 주스, 사과 주스, 오렌지 주스, 물. 원하시는 걸 골라주세요.』

"저는 벌꿀 주스요!"

조금도 의심하지 않고 펄이 나섰다.

병뚜껑을 열고 흥미진진하게 안에 든 주스를 마시고서.

"이…… 이거 맛있네요!"

금발 소녀의 눈이 커졌다.

"순하면서도 깊이가 있고 너무 달지 않은데다 부드럽게 넘어가요! 이건…… 클로버 벌꿀이죠?!"

『정답!』

그 뒤에서.

미이프가 든 병을 앞에 두고 진지하게 고민하는 켈리치가 있었다.

"……코코넛 주스. 아니, 왕도인 사과 주스도 좋은데 벌꿀 주스도 맛있다고 한다면 고려의 여지가 있네요. 다크스, 당신은 어쩔 건가요?"

"나는 단백질 주스다."

『없습니다.』

"뭣이?! 어째서 단백질 주스를 준비하지 않았지?!"

『……그건 예상하지 못했네요.』

"뭐, 좋다. 그럼 나는 사과 주스다. 사과야말로 주스의 왕도에 어울리지."

아무래도 음료에도 타협하지 않는 남자인 듯하다.

그 뒤로는.

다크스보다 날카로운 눈빛으로 미이프가 든 병을 노려보는 소녀가 있었다.

"……."

"왜 그래? 레셰."

"있지, 페이. 나…… 이거 꼭 마셔야 해?"

코코넛 주스가 든 병을 든 레셰.

어떤 게임이라도 호기심 왕성한 모습을 보여주던 이전 신이 어쩐 일인지 자신 없는 듯이 위축되어 있었다.

"……으음."

"원하는 음료가 없으면 억지로 마시지 않아도 괜찮겠지."

"……나는 마실 것과 먹을 것이 필요 없어."

"아, 그렇군."

레셰의 육체는 신이었을 때 만든 것. 몇 백 년이든 마시거나 먹지 않고서 게임할 수 있도록 설계되어 있다.

레셰는 음료를 마신 적이 없다.

"……이론적으로는 괜찮을 거야. 이 정도 액체가 내 체내에 들어와도 아무런 영향이 없을 테니까.

그렇게 말하면서도 레셰는 미묘한 표정을 했다.

처음 물웅덩이를 발견한 아기 고양이처럼 조심스럽게 입술을 병에 가져가서는.

"푸우우웁!"

뿜었다.

고작 몇 밀리리터 머금었을 뿐인데, 레셰는 그것을 화려하게 뿜어냈다.

"으앗, 나한테 뿜으면 어떡해?!"

"무리야! 어쩐지 무리라고!"

레셰가 고개를 도리도리 저었다.

"내 몸이 이 불순물을 거부하고 있어!"

"아니, 불순물이라니. 뭐, 이해해."

신의 육체는 그렇겠지.

수분을 보급할 필요가 없는 완벽한 육체에 불필요한 것을 더할 필요가 없기 때문이다.

"딱히 상관없지 않아?"

"싫어."

레셰가 분한 듯이 입술을 깨물었다.

"게임 중 기믹은 전부 달성한다. 그게 플레이어의 예의

잖아!"

"그럼 어떻게 할 건데?"

"……맡길게."

쓱.

어째서인지 레셰는 들고 있던 주스 병을 떠넘겼다.

"나보고 마시라고?"

"아니."

"그럼 뭔데?"

"……페이."

처음 듣는 듯한 가느다란 목소리.

레셰는 촉촉해진 커다란 눈동자로 가만히 바라본다.

"……먹여줘."

"……."

"나는…… 이런 거 익숙하지 않아서……."

보석처럼 아름다운 눈동자로 바라보며.

"……부탁해."

"싫어."

"어째서?!"

"분위기가 좀 수상하니까. 일단 마실 수 없으면 버리면 되잖아."

큰 한숨.

그런 페이가 시선을 돌려 확인한 것은 벌꿀 주스를 전부

마신 금발 소녀다.

"아, 펄. 중요한 이야기가 하나 있는데."

펄에게 손짓했다. 만약을 위해 미이프에게도 들리지 않도록 목소리를 낮춰서.

"다른 녀석들에게는 말하지 마."

"……뭘로요?"

"태양 꽃을 가진 건 레셰가 아니야."

"네엣?!"

금발 소녀가 그 자리에서 폴짝 뛰었다.

"어, 어어어, 어떻게 된 건가요?! ……그렇다면 그러니까. 게임이 시작되기 전에 페이 씨와 레셰 씨가 동시에 그렇게 말했는데, 레셰 씨가 아니라면……."

"그런 거야. 그럼 부탁해."

펄에게 그렇게 말한 페이는 몸을 돌렸다.

크게 한숨을 쉰 레셰. 그리고 그녀가 들고 있던 병은 텅 비어 있었다.

"어라? 비었네."

"……저쪽 풀에 버렸어."

정말 아쉬운 듯한 레셰의 말투.

"내가 게임 기믹을 포기하다니."

따르르르르르르릉.

바로 그때, 자명종 알람처럼 큰 소리로 경보가 오아시스에 울렸다.

"뭐, 뭐야?! 뭐야, 이 소리는?!"

물가를 정찰하던 카밀라가 달려왔다.

"누가 뭘 한 거야?!"

『아, 깜빡했네요.』

하늘에서 내려온 미이프들.

『이 오아시스의 전원이 주스를 마시면 휴식이 끝난 것으로 판단됩니다. 강제적으로 쫓겨나게 돼요.』

"그러니까, 그걸 먼저 말하라고!"

페이 일행은 보이지 않는 팔에 떠밀리듯 강제적으로 오아시스 밖으로 나갔다.

다시 솟구치는 땀.

맹렬한 열기가 감도는 사막에 내동댕이쳐졌다.

"어라?! 페이 씨, 이제 오아시스로 돌아갈 수 없는 모양이에요!"

펄의 손이 보이지 않는 벽에 가로막혔다. 안전지대인 오아시스로 도망칠 수 있는 것은 게임 중 한 번이라는 제약이 있는 듯하다. 그렇다면.

『야옹!』

『야옹!』『야옹!』『야옹!』『야옹!』

비스트의 외침. 냄새나 기척을 알아본 것인가. 이쪽이 오아시스를 나온 순간 모래 언덕에 있던 천 마리 이상의 군세가 일제히 돌아보았다.

"들켰어?! 전원, 피라미드까지 달려!"

거대 피라미드를 가리키는 카밀라.

모두가 달리기 시작했지만 뒤에서 울리는 비스트들의 외침과 발소리가 점점 가까워졌다. 그것도 아까보다 강하게.

"어, 어쩐지 고양이 골렘의 속도가 빨라진 것 같지 않나요?! 페이 씨!"

오아시스 도달이 중계 지점.

게임 난이도가 올라가 신의 군대가 더 빨라졌다.

"펄, 여기야!"

"자, 잠깐 기다려주세요!"

제일 뒤에 있던 펄이 다급히 공간 전이.

여기서 달리기가 제일 느린 펄은 30미터 공간 전이를 구사해 페이 일행을 따라가는 것이 고작이었다.

……펄의 텔레포트는 긴급 회피용으로 아껴두고 싶지만.

……그럴 여유가 없네.

비스트들이 눈사태처럼 밀려들었다.

그 엄청난 중압감에 페이조차 등골이 오싹해질 정도.

도망칠 수 없다. 지평선에 있었을 비스트가 거친 숨결이 목덜미에 닿을 거리까지 다가왔다.

"레셰, 한 번 더 가능해?"

"가르면 되는 거지?"

레셰의 주먹이 사막에 꽂혔다.

아까와 마찬가지. 천지가 뒤집힐 정도의 흔들림과 동시에 모래사막에 거대한 균열이 쩍 펼쳐졌다. 그것을 앞에 두고.

신의 군대가 가속했다.

급정지는커녕 갈라진 곳을 향해 더 속도를 올렸다.

『야옹!』

멀리 뛰기 하듯 절벽처럼 깊은 균열을 뛰어넘었다.

"말도 안 돼?!"

역시나 이 사태는 레셰도 예상 밖이었다.

이쪽 절벽에 착지한 몇백 마리의 비스트를 앞에 두고 다급히 물러났다.

경계. 신의 군대가 아직 능력을 숨기고 있을 가능성이 있는 이상, 레셰도 직접적인 공방을 피해야 한다고 판단했을 것이다.

『나의 군세여! 나아가라!』

울리는 신의 목소리에 따라 균열을 뛰어넘은 비스트들이 돌격했다.

"제길, 떨어져!"

사도 한 명이 손을 내밀었다. 불꽃이 소용돌이치듯 응축. 불꽃 탄환이 되어 달려오는 비스트를 향해 발사.

파직.

그 불꽃이 사라졌다.

비스트들이 일제히 앞으로 든 모래 방패에 막혀서.

"막았어?!"

『돌격이다냥!』 / 『꽃을 넘겨라냥!』

몇십 마리의 모래 골렘에게 쓰러지는 아크엔젤의 사도들.

꽃을 빼앗긴 자는 탈락.

차례차례 사막에서 현실 세계로 돌아갔다.

"조, 좀 떨어져! 이게……!"

목덜미를 붙들려 비명을 지른 것은 안경을 낀 팀 리더 사도였다.

페이 일행이 돌아봤을 때는 이미.

비스트 몇 마리에게 붙들린 카밀라의 모습이.

"카밀라 씨?!"

"오지 마!"

손을 뻗으려던 펄이 움찔 몸을 떨었다. 비스트에게 포위된 카밀라가 무서운 표정으로 이쪽을 바라보고 있었기 때문이다.

"내가 가진 건 모래 꽃. 빼앗겨도 패배가 아니야!"

"하, 하지만……!"

"피라미드를 향해 달려! 그리고 내게 몰려든 걸 후회하라고, 이 엉큼한 고양이들!"

카밀라의 두 손에 깃드는 파란 빛.

"전부 얼어붙어라!"

얼음 장벽.^(아이스 월)

지금 막 페이 일행에게 달려들려 한 비스트 군세가 땅에서 솟은 얼음벽에 차례차례 튕겨졌다.

물리적인 차단법이다.

아무리 마법 봉인 방패를 들었다 해도 우뚝 솟은 얼음벽은 무효화할 수 없다.

"가! 우리는 상관 말고!"

"……그래, 미안하다!"

얼음벽 너머, 비스트의 군세에 포위된 팀 아크엔젤을 향해 외친 페이는 몸을 돌렸다.

피라미드까지 눈대중으로 약 600미터.

예리한 삼각형의 실루엣이 이제 육안으로도 뚜렷하게 보였다.

인간 측, 남은 인원 5명. (태양 1, 독 1, 모래 3)

신의 군세, 신을 포함한 1,987마리.

(태양 1, 독 1, 모래 1,985)

"가자!"

선두를 달리는 다크스.

검은 코트를 격렬히 펄럭이며 그 손에 자신의 꽃을 쥐고서 모래를 박찼다. 그런 그의 뒷모습을 바라보는 켈리치.

"다크스, 꽃을 숨겨두는 게 좋지 않아요?"

"놈들에게 붙잡히면 어차피 끝이야. 숨겨둘 의미가 없으니 꽃을 던져 넘길 수 있도록 손에 들고 있는 편이 좋지."

"……정론이군요."

갈색 소녀가 살며시 탄식했다.

"피라미드까지 앞으로 500미터 정도입니다. 제가 태양 꽃을 가지고 있으면 그냥 전력으로 달릴 수 있겠지만요."

"네 꽃은 아니라는 건가?"

"다크스야말로."

"나는 모래다. 빼앗겨도 문제가 안 돼."

"……그렇군요."

켈리치가 이쪽을 돌아보았다.

그녀가 볼 때 태양 꽃 보유자는 페이, 레셰, 펄 세 사람으로 좁혀졌다.

그 찰나의 순간.

켈리치가 후방으로 돌아본 1초 미만의 **빈틈**에.

촤악.

켈리치의 발밑에서 모래가 빨려 들어가듯 꿈틀거렸다.

"……무슨?!"

모래 안에서 튀어나오는 비스트.

숨어 있었는지, 아니면 새롭게 생성됐는지. 따라잡힐 때까지 아직 거리가 있다고 생각했던 켈리치의 반응이 조금 늦어졌다.

『야옹!』

"다크스 윈드!"

다크스의 바람 마법. 위력과 효과를 아슬아슬하게 조절한 선풍을 일으켜 켈리치를 공격한 모래 골렘을 튕겨냈다.

하지만.

"신벌이다냐!"

아득한 지평선에서.

페이는 커다란 삼각 모자를 쓴 비스트가 지팡이를 든 것을 보았다.

신의 심판.

그 표적이 검은 코트를 입은 청년이라는 것을 알아차린 켈리치의 얼굴이 창백해졌다.

"다크스?!"

"그, 그렇게는 안돼요! 『더 원더링』!"

펄이 외쳤다.

황금색 워프 포탈이 다크스의 눈앞에 출현.

"다크스 씨, 넘어와요!"

텔레포트라면 모래 폭풍으로부터 도망칠 수 있다. 워프 포탈로 뛰어들려는 다크스의 손끝이 황금 고리에 닿은 순간.

거친 신의 모래 폭풍이 다크스를 집어삼켰다.

"다크스!"

하늘을 찌를 듯이 몰아치는 모래 폭풍을 향해 페이가 외쳤다.

강제적인 플레이어 탈락.

다크스도 일반적인 인간이다. 저 충격을 견딜 수는 없다.

다크스 기어 시미터, 탈락.

인긴 측, 남은 인원 네 명(페이, 레세, 펄, 켈리치).

"……이…… 모래 인형이이이이!"

포효가 대지를 갈랐다.

마법사형 골렘을 향해 켈리치가 머리끝까지 성난 기세로 돌진했다.

피라미드와 반대쪽 방향으로.

"기다려, 켈리치!"

"……저는 냉정합니다, 페이."

돌아보지도 않는 켈리치.

"당신은 알고 있을 터. **제가 든 건 모래 꽃이에요.**"

주먹을 쥐고는.

"페이, 펄, 레오레셰 님. 태양 꽃을 가진 건 당신들 세 사람 중 누군가. 그렇다면 저는 여기서 발을 묶어두겠습니다. 네 명밖에 안 남은 지금, 당신들이 1초라도 빨리 피라미드에 도착하는 게 가장 좋은 방법입니다."

"……마음이 맞네."

"내가 가진 것도 태양 꽃이 아니거든. 같이 할까?"

척.

모래를 박차고.

레셰와 켈리치 두 사람이 신의 군세를 향해 돌진했다.

＝＝＝＝＝＝＝

신비법원 마르 라 지부.

지하 다이브 센터는 먼지가 날리는 소리조차 시끄러울 정도로 고요했다.

누구 하나 말하지 않았다.

호흡조차 잊고서 모니터를 올려다본다. 그런 극한의 긴장 상태에서.

"아얏?!"

인간이 떨어졌다.

정령 운디네를 본뜬 거신상의 물병에서 여자 사도가 미끄러져 떨어졌다.

"……신은 탈락자에게는 가차 없다니까."

갈색 곱슬머리 여성.

떨어진 충격으로 미끄러진 안경을 고쳐 쓰고서 그 자리

에 있는 모두를 둘러보았다.

"……죄송합니다. 사무장님."

"아니. 수고했다, 카밀라."

위엄 있는 표정을 한 사무장이 파이프 의자에 앉은 채 고개를 끄덕였다.

신들의 놀이에서 탈락한 플레이어는 현실 세계로 돌아온다. 팀 아크엔젤의 열 명은 이것으로 전원이 귀환했다.

"카밀라, 묻고 싶은 게 있다."

지금 막 돌아온 여자 사도를 선글라스 너머로 바라보는 사무장.

"이 게임, 상황이 좋지 않은 건 관중들도 안다. 인간 측은 이제 네 명. 반면 신 측은 천인지 이천인지도 알 수 없는 굉장한 군세지."

"네."

"솔직하게 물으마. 태양 꽃을 가진 건 누구지?"

홀이 조용해졌다.

이 게임을 보고 있는 모든 관전자들도 지금 똑같은 의문을 품고 있을 것이다.

"……저도 모르겠습니다."

카밀라가 힘없이 쓸쓸한 미소를 지으며 어깨를 으쓱였다.

"꽃을 나눠준 건 페이입니다. 저희도 누가 어떤 꽃을 지녔는지는…… 팀 아크엔젤이 받은 건 전부 모래 꽃인 건 확실하지만요."

"태양과 독은 전부 남아 있다는 건가?"

"……네. 하지만 실질적으로 태양을 지닌 건 거의 둘 중 하나일 겁니다."

카밀라가 대형 스크린을 돌아보았다.

거기에 비친 인물들을 올려다보고는.

"이건 피라미드까지 태양 꽃을 옮기는 게임. 그런데도 레오레셰 님과 켈리치가 피라미드 도달을 포기하고 적의 발을 묶어두려고 나섰어요. 이 시점에서 두 사람이 태양 꽃을 갖지 않은 것은 분명합니다."

"태양 꽃을 지닌 건 피라미드까지 달리고 있는 두 사람 이군."

억누른 목소리로 답한 사무장.

"다시 말해 페이 공이나 펄 중 한쪽이라는 말이군. 한쪽 이 태양 꽃을 지니고 다른 한 사람이 독 꽃을 지녔다고 생 각하는 게 타당하겠어."

페이 : 태양, 혹은 독. (피라미드로 향함)

펄 : 태양, 혹은 독. (피라미드로 향함)

용신 레오레셰 : 모래.

(피라미드를 포기하고 신의 군세를 막는 중)

켈리치 : 모래. (피라미드를 포기하고 신의 군세를 막는 중)

여기까지는 관객 시점으로도 보인다.

한 가지 걱정이라면, 저 추리를 신 마아트마 2세도 쉽게 했으리라는 점이지만.

……탁.

그때, 단단한 구두 소리가 지하 홀에 울려 퍼졌다.

"다크스?!"

거신상에서 전송된 검은 코트 청년이 가볍게 그 자리에 착지했다.

다이브 센터에 모인 사무장과 사도를 바라보며.

"넬."

"……!"

그 부름에.

홀 구석에서 조용히 입을 다물고 있던 넬은 고개를 들었다.

"너에게 진 빚은 이걸로 끝이다."

이틀 전.

이곳 신비법원 빌딩 한쪽에서 넬과 다크스는 한 가지 내기를 했다.

"친선 시합. 페이의 팀과 내 팀의 친선 시합이지. 내가 진다면 네 부탁을 뭐든 한 가지 들어주마. 그러나 내가 페이에게 이기면……."

"……네 산하에 들어오라는 건가."

친선 시합의 승자는 페이.

그 약속대로 넬은 다크스에게 요구했다.

"페이가 승리하도록 전력을 다할 것. 그게 네 요구였지."

"……그래."

"게임도 곧 종반이다."

탈락한 플레이어라고는 생각할 수 없을 정도로 용맹한 눈빛으로.

사도 다크스는 말을 이었다.

"지켜보아라. 네가 선택한 남자의 플레이를."

2

태양빛이 쏟아지는 드넓은 사막.

켈리치는 그 모래 언덕을 굴러떨어지듯 내려와 모래 골렘으로부터 전력을 다해 도망쳤다.

『냐아!』

"너무, 끈질기네요."

뒤에서 다가오는 기척에 혀를 찼다.

뿌리칠 수는 없다.

초인형의 각력으로도 거리를 벌리기는커녕, 점점 좁혀졌다. 그것도 당연. 신의 비스트는 게임 중 시간 경과와 함께 속도가 빨라졌으니까.

"빨리…… 시간 벌기도 그리 오래 버티지 못합니다!"

저 앞에서.

피라미드를 향해 달리는 두 사람을 향해, 켈리치는 거친 숨을 내쉬었다.

황금색으로 빛나는 사각뿔.

태양 빛에 반짝이는 피라미드를 향해 펄이 외쳤다.

"하아……, 하……아…… 페이 씨, 드디어 왔어요!"

도착했다.

입방체 돌을 쌓아 만든 고대 무덤.

수천 마리의 비스트들은 레셰와 켈리치가 전력으로 막고 있다. 서둘러 꼭대기까지 올라가야 한다.

"펄, 알고 있겠지만 말해둘게!"

마찬가지로 숨을 몰아쉬는 페이가 품에서 꽃 한 송이를 꺼냈다.

"태양 꽃을 가진 건 나야!"

가장 유력한 후보인 레셰도 켈리치도 아니라.

태양 꽃을 든 것은 페이다.

"이걸 꼭대기에 바치면 승리야."

"그, 그렇죠! 그럼 제가 최선을 다해 페이 씨를 지킬게요!"

피라미드 정면.

돌을 쌓은 경사면의 중앙에 계단이 아닌 똑바로 정비된

긴 언덕길이 일직선으로 꼭대기까지 이어져 있었다.

　여길 오르면.

『잘 왔다.』

　위엄 있는 신의 염화가 머리 위에서 내려왔다.

　갑주가 철컥 울리는 기척과 함께.

　피라미드 언덕길을 따라 천천히 지상을 향해 내려오는 신의 모습이 거기에 있었다.

『승리로 이어지는 이 언덕길. 훌륭히 돌파해보아라.』

　석장을 든 신이 두 팔을 벌린다.

　그 자세가 주는 압도적인 중압감에 페이와 펄의 이마에 식은땀이 흘렀다.

　수천 마리의 비스트보다도.

　단 한 명의 「신」이 내뿜는 기척이 어쩌나 용맹한지.

　"페이 씨?!"

　"멈추지 마, 펄! 우리는 정상까지 달릴 수밖에 없어!"

　그렇게 북돋아줄 수밖에 없다.

　이 언덕길은 신이라는 최대의 벽을 돌파해 올라가지 않으면 승리할 수 없다.

　……하지만 레셰 없이 어쩌지?!

　……힘으로 어떻게 할 수 있는 상대가 아니야. 펄의 어

라이즈가 전부다.

텔레포트로 신을 뛰어넘는다. 신에게 붙잡히는 아슬아슬한 지점에서 발동해 30미터 거리를 넘어 언덕 상부에 전이한다.

그 생각.

페이가 모든 집중력을 쏟은 순간을 신은 간파했다.

『오너라, 나의 군대여.』 _{서몬 캣}

페이의 발밑에서 모래가 꿈틀거렸다.

튀어 오르는 모래알이 페이의 발을 붙들었다.

"뭐?!"

『붙잡았다냥!』

모래 속에서 떠오르는 거체.

페이의 발목을 붙든 병사만이 아니다. 계속해서 생성되는 비스트가 페이의 왼팔과 허벅지를 수갑이라도 채운 것처럼 붙들고 놓아주지 않았다. 완전히 포박된 상황.

"페이 씨?!"

"나는 신경 쓰지 마!"

페이는 유일하게 움직일 수 있는 오른팔로 자신의 수중에 있던 꽃을 던졌다.

공중을 가르는 하얀 꽃.

그것이 펄의 손에 들어온 순간…… 신 마아트마 2세, 그리고 페이를 붙잡고 있던 모든 병사가 일제히 펄이 잡은 꽃을 응시했다.

『태양인가!』

모래 꽃이라면 양도할 필요가 없다.

독 꽃이라면 병사에게 일부러 빼앗기면 된다.

페이가 서둘러 꽃을 던진 것은 그것이 태양 꽃이기 때문임이 분명하다.

태양 꽃은 펄로 확정. (펄은 모래나 독 중 하나를 이미 소지)

"펄, 네 텔레포트밖에 없어! 달려!"

페이의 한 마디로.

신이 그 자리의 모든 병사에게 명령했다.

『붙잡아라.』

꽃을 잃은 페이를 내버리고 세 마리의 비스트가 펄을 향해 언덕길을 달렸다.

언덕길 앞에는 신이 기다리고 있고 뒤에는 비스트가.

완벽한 포위.

"······좋습니다!"

페이에게서 받은 꽃을 쥔 펄이 언덕길을 달려 올랐다.

『나를 넘겠다는 건가?』

"넘지 않으면 제일 위에 갈 수 없으니까요!"

멈추면 비스트에게 붙잡힌다.

펄이 바라본 곳은 석장과 함께 두 팔을 벌리고 기다리는 신. 숨을 몰아쉬며 언덕길을 달렸다. 신까지의 거리는 앞으로 10미터…… 8미터…… 5미터.

그리고 신과 인간은 동시에 움직였다.

『신의 앞에서 무례하다.』

"더 원더링!"

마아트마 2세가 손을 뻗었다. 그 손에 붙들리기 직전, 금발 소녀는 황금색으로 빛나는 워프 포탈 안으로 뛰어들었다.

『호오.』

순간 이동. <small>텔레포트</small>

마아트마 2세는 신이며, 인간은 어라이즈를 받은 쪽이다. 무엇보다 신들의 놀이에서 펄 이외의 텔레포터와 싸운 경험은 몇 번이고 있었다.

간파하기란 무척 쉽다.

이 인간은 신을 뛰어넘어 피라미드 상부로 전이할 생각이다.

『거기인가.』

석장을 앞에 들고 돌아본다.

피라미드 꼭대기로 이어진 언덕길, 거기엔 금발 소녀는…… **없었다.**

『……?』

어디인가. 금발 소녀가 언덕 어디에도 보이지 않았다.

순간 전이라지만 이동 거리에는 한계가 있다. 대체 어디에.

"이쪽이에요!"

30미터 상공.

피라미드 상부로 전이한 것이 아니다. 펄이 전이한 것은 그것을 예측하고 돌아볼 신의 머리 위였다.

"인간 측의 승리 조건은 두 가지!"

【승리 조건 1】태양 꽃을 피라미드 정상에 바칠 것.
【승리 조건 2】신 팀 측의 태양 꽃을 빼앗을 것.

노리는 것은 마아트마 2세가 지닌 석장이다.

그 끝, 유리 구체 안에 담긴 꽃. 신이 이렇게까지 소중히 보관한 꽃이 태양이 아닐 리가 없다.

상공에서 떨어지는 펄의 기습에 신의 반응이 늦어졌다.

"이 꽃을 빼앗으면 우리의 승리예요!"

하늘에서 떨어지는 펄이 주먹을 쥐었다. 그 주먹이 신 마아트마 2세가 지닌 석장의 끝을 정확히 깨뜨렸다.

지이이이잉.

유리가 깨지는 맑은소리. 투명한 유리 구체가 산산이 부서져 그곳에 봉인되어 있던 꽃이 펄의 손바닥에 들어왔다.

"해, 해냈어?!"

작은 꽃봉오리를 높게 들어 올린 펄이 폴짝 뛰었다.

"해냈어요, 페이 씨! 여러분! 신에게서 꽃을 빼앗았어요!"

봉오리가 천천히 열린다.

그렇게 피어난 커다란 꽃.

무척이나 불길해 보이는 검은 꽃이.

"……어?"

의아한 목소리를 낸 순간, 펄은 온몸이 마비에 걸린 것처럼 움직일 수 없게 됐다.

5초간 스턴.

독 꽃을 빼앗은 팀의 디버프다. ^{신벌}

"어, 어째서……."

『내가 지닌 꽃이 태양일 것이라고. 그것이 인간 측이 품은 생각이겠지?』

여유롭게 다가오는 신 마아트마 2세.

한 발짝도 움직일 수 없는 펄에게 한 발, 또 한발 다가온다.

……아니.

돌이켜보면 조금. 아주 조금은 펄 자신도 오한에 가까운 불안감이 있었다.

이것은 지략전.

신이 태양 꽃을 지니고 있다. 그 가능성이 함정이라면?

마아트마 2세는 자신이 지닌 것이 태양 꽃이라고는 한마디도 하지 않았다. 인간이 멋대로 그렇게 생각했을 뿐.

"그, 그러면……."

『내 태양 꽃의 행방 말인가? 그렇다면 특별히 알려주지.』

펄이 내려다보는 드넓은 사막.

그 지평선에서 돌연 태양과 닮은 황금색 빛이 공중으로 떠올랐다.

신의 군세가 아닌.

지금 황금색 빛이 떠오른 곳에는 비스트가 단 한 마리도 없었다.

야자와 식물이 무성히 자란…….

"설마?!"

『나무를 숨기려면 숲에 가야겠지.』

미이프의 부름으로 인간 팀이 들른 휴식 포인트.

태양 꽃은 오아시스에 핀 꽃 속에 숨겨져 있었다.

돌이켜보면.

미이프는 게임 시작 전에 이렇게 말했다. 『우리 주신께선 그쪽의 작전 회의가 끝난 뒤에 등장하실 겁니다』라고.

그리고 신의 등장에는 시간이 걸렸다.

바로 그때, 신은 태양 꽃을 오아시스에 숨겨뒀다. 그 후에 비스트에게서 독 꽃을 받은 뒤 지팡이에 넣어두었다.

의미가 있었다.

그리고 등장하기까지 시간이 걸렸다는 것조차 신의 공략 힌트였다.

오아시스라는 공략 장치.

너무나도 대담하게도.

펄뿐만 아니라 전 세계의 관전자에게도 훤히 보이는 곳에 태양 꽃이 놓여 있었다. 그러나 인간은 누구 하나 신의 지략에 미치지 못했다.

"……."

깨달았다.

거신 타이탄, 무한신 우로보로스에게 연승해 「어쩌면 이번에도 이길 수 있을지도?」라는 방심이 마음 어딘가에 싹텄다는 사실을.

그 자만심에 당했다.

신은 자상하지 않다.

인간이 모든 지략을, 예측을, 모든 심리전을 다해도 이길 수 없기에 「신」이다.

『독 꽃 효과로 인간 측의 태양 꽃이 표시된다. 하긴, 너 이외엔 없겠군.』

"……."

움직일 수 없는 펄의 손에서 꽃 두 송이가 떨어졌다.

땅 위로 떨어진 꽃봉오리가 마아트마 2세가 내려다보는

곳에서 펼쳐졌다.

　새하얀 꽃.

『첫 번째는 모래인가. 이게 독이라면 다소 재밌었겠다만.』

　그리고 두 번째.

　펄이 페이에게서 받아 승리를 맹세했던 꽃이 신에게 빼앗겨 봉오리가 벌어졌다.

『이걸로 결판이⋯⋯!』

새하얀 모래 꽃.

『뭣이?!』

"⋯⋯어?"

　꽃을 빼앗긴 펄조차 발밑에서 피어난 꽃의 색을 보고 말이 나오지 않았다.

　자신이 건넨 것은 태양 꽃이라 믿어 의심치 않았다.

　그러나, 나타난 것은 모래 꽃.

"⋯⋯어, 어째서?!"

　꽃을 빼앗긴 것으로 펄 자신은 탈락. 현실 세계로 돌아가기 직전, 확실히 보았다.

　독 꽃의 효과로 태양 꽃의 위치를 알 수 있다.

　그러나 지평선 너머에 있는 레셰와 켈리치의 꽃도 반응하지 않았다.

남은 두 명은 용신 레오레셰, 켈리치.

두 사람 중 태양 꽃 소지자는 없다.

『어째서…….』

신의 염화에 동요가 생겼다.

돌이켜보면 그때부터였다. 전 세계의 관전자들이 깜짝 놀란 충격적인 커밍아웃이 있었을 때부터 무언가가 벌어질 듯한 예감이 들었다.

"태양 꽃을 가진 건 나다."

"태양 꽃을 가진 건 나야."

신을 향한 도전장.

이 시점에서 신과 전 세계의 관전자는 냉정하게 분석했을 것이다.

세 가지.

가능성 1 : 페이가 거짓말을 하고 있다. (태양 꽃은 레셰)

가능성 2 : 레셰가 거짓말을 하고 있다. (태양 꽃은 페이)

가능성 3 : 두 사람 모두 거짓말을 하고 있다.

　　　　　(태양 꽃은 다른 열세 명 중 누군가가 소지)

그러나 사실은.

가능성 4 : 누구도 태양 꽃을 지니지 않았다.

불가능하다.

지금까지의 과정을 떠올려보면 그것은 쉽게 단언할 수 있다.

① 게임 개시 전, 미이프는 한 사람에게 한 송이씩 꽃을 나눠주었다.

　(초기 배치로는 펄이 태양 꽃을 들고 있었다)

② 열다섯 송이의 꽃을 페이가 회수해 모두에게 나누어 주었다.

③ 2번 시점에서 인간 측의 누군가가 태양 꽃을 지닌 것이 확정.

누군가가 태양 꽃을 가진 것은 분명하다.

그러나 나머지 두 사람 모두 태양 꽃을 갖고 있지 않았다.

『이건 대체…….』

사막이 흔들린다. 격앙인지 포효인지 알 수 없는 신 마아트마 2세의 「격정」이 무한히 펼쳐진 사막 세계에 울렸다.

『태양은 어디로 사라졌나!』

그 목소리에.

탈락했을 소년의 목소리가 아름다울 정도로 겹쳐졌다.

"알려주지. 답을 맞혀볼 시간이다, 신!"

그 목소리에. 그 모습에.

신이.

전 세계의 관전자들이 일제히 자기 눈을 의심했다.

어째서 탈락하지 않는가.

펄에게 꽃을 양도했을 소년이.

"페이?!"

사막을 달리는 페이의 모습을 발견한 켈리치의 눈이 휘둥그레졌다.

믿을 수 없는 광경을 보았다.

그의 생존이 아니다. 그의 손에 찬란하게 빛나는 태양꽃이 쥐어져 있었기 때문이다.

"단순 명쾌하지."

광대한 사막의 모래를 박차고, 페이가 우뚝 솟은 피라미드를 올려다보았다.

"나는 지금까지 꽃 두 송이를 갖고 있었어."

『......!』

그 한마디로.

마아트마 2세는 모든 것을 파악했다.

페이 : 태양과 모래를 소지하고, 그중 모래를 펄에게 건넸다.

페이가 두 송이 꽃을 갖고 있었다.

그 속임수로 신은 펄에게 건넨 꽃이 태양이라고 믿었다.

태양 꽃을 잃은 페이는 실격. 그러니 신은 페이를 무시하고 태양 꽃을 지닌 펄을 쫓으라고 명령했다. 여기까지 전부 계산하고서.

"어째서 내가 꽃을 두 송이 갖고 있냐고?"

신이 아니다.

이 싸움을 지켜보는 전 세계를 향해.

"한 명 있잖아. 비스트에게 **꽃을 빼앗기지 않은 채 탈락한 녀석이.**"

"……흥, 한심한 촌극이군."

멀리, 아주 멀리서.

이 싸움을 지켜보는 검은 코트 청년의 당당한 미소가 보이는 것만 같았다.

신의 모래 폭풍으로 다크스는 탈락했다.

그것을 노렸다. 그가 노린 것은 **꽃을 빼앗기지 않고 탈락하는** 가장 자연스러운 방법이었다.

그 순간이야말로.

"『더 원더링』! 다크스 씨, 넘어와요!"

워프 포탈에 뛰어들려는 **다크스의 손끝이 황금 고리에**

닿은 순간.

닿았었다.

다크스는 그 찰나에 자신의 꽃을 워프 포탈에 던져 페이에게 양도했다. 그저 임기응변이었다면 늦었으리라. 그러나.

"다크스, 꽃을 숨겨두는 게 좋지 않아요?"

"꽃을 던져 넘길 수 있도록 손에 들고 있는 편이 좋지."

처음부터 노리고 있었다.

다크스는 자신이 모래 폭풍에 삼켜지는 것으로 꽃을 던지는 순간을 숨겼다.

그러나 신은?
_{전 세계}

모래 폭풍에 휘말린 다크스는 꽃과 함께 사라졌다고 착각했다. 태양 꽃이 다크스에게서 페이에게 양도됐을 줄은 꿈에도 모른 채.

"신은 스스로 기적을 개척하는 자에게만 미소 짓지. 어때, 재밌는 게임이 됐지? 신!"

『유쾌!』

신이 크게 웃으며 두 팔을 벌렸다.

피라미드 꼭대기로 이어지는 언덕길. 하늘과 가장 가까운 제단 앞을 가로막은 강대한 신이.

『태양으로 이어지는 길. 훌륭히 넘어보아라!』

일대일. 페이가 제단에 도착하면 승리. 「신을 뛰어넘는다」는 최대의 난관만 돌파할 수만 있다면.

『오너라, 나의 군대여.』
　　　　서몬 캣

신이 석장을 내리고…… 멈췄다.

『……뭐?』

온몸이 움직이지 않는다.

전지전능한 신 마아트마 2세가 지팡이를 다 내리지도 못한 채 굳어버렸다. 이 게임 공간을 지배하는 신이 갑자기 힘을 발휘할 수 없게 된 것이다.

『……무엇이냐, 이건!』

아니, 이해했다.

이것은 5초간 스턴.

독 꽃을 빼앗은 팀에게 신벌이 내려진다. 그렇다면 설마.

"신은 모든 병사를 멈추게 해야 했어."

피라미드에서 내려다보이는 사막 지대.

주홍색 머리카락을 나부끼며, 신이었던 소녀가 햇살 속에서 돌아보았다.

"페이와 펄이 독 꽃이 아니라는 걸 안 시점에 3천 마리의 병사에게 서둘러 정지할 것을 명령했어야지. 독 꽃을 든 건 누구일까?"

『……!』

"내가 독 꽃을 **억지로 쥐게 했어.**"

레셰의 눈앞.

그곳에 선 비스트의 손에 쥐어진 것은 불길한 검은 꽃. 지금 막 레셰가 자신의 꽃을 억지로 떠넘겼다.

"내가 독 꽃을 갖고 있었어. 하지만 그건 태양 꽃이라고 속이기 위해서가 아니야. 언제든지 스턴을 발동하기 위해서였지."

용신 레오레셰라면 독 꽃을 빼앗기지 않을 것이며, 오히려 어떠한 타이밍이라도 독 꽃을 강제로 떠넘길 수 있다.

꽃을 **빼앗겨야** 한다.

그 고정 관념의 역전.

일부러 빼앗기는 것으로 신 측에 5초의 스턴을 강제했다.

그것이 레셰의 역할이었다.

『……고작 5초로는!』

페이는 아직 피라미드 언덕길 아래쪽이다. 제단에 도착하기 전에 마아트마 2세는 온몸의 자유를 되찾을 것이다.

"**그렇게 생각했지?**"

신을 향해 달려오는 소년은.

움직이지 못하는 신을 대담하게 가리켰다.

"중요한 걸 잊고 있잖아, 신."

『뭣이?』

"저를 잊으면 곤란합니다. 신이 볼 땐 많이 부족한 인간이지만요."

갈색 소녀가 언덕길을 올라가는 페이의 바로 뒤를 따라잡았다.

어라이즈『연기집중』^{오라 드라이브} 발동.

그 작은 주먹에 강대한 충격파를 담아서.

"페이를 제단까지 때려 날리는 것 정도는 가능하니까요."

『……!』

"날아가세요."

켈리치의 목소리를 따라, 페이는 뛰었다.

그러나 전력으로 달렸던 가속도를 더해도 고작 2미터.

"빈약한 점프네요. 그러고도 초인형입니까?"

"그러니까 부탁하는 거지."

"페이, 저는 당신에게 조금 질투가 납니다."

뛰어오른 페이의 발바닥에 켈리치가 주먹을 가져갔다.

그 순간. 줄곧 무표정이었던 소녀가 잠시 미소 지은 것을 확실히 보았다.

"당신이 나타난 이후, 다크스의 마음은 당신에게 사로잡혔으니까요."

"뭐?"

"그러니까 이건 저의 분풀이!"

충격. 켈리치의 주먹에 밀린 페이는 하늘 높이 떠올랐다. 로켓과 같은 추진력으로 신의 머리 위를 넘어.

피라미드 상공으로.

"아파라! 지금 진심으로 때린 거지?!"

이쪽을 올려다보는 신 마아트마 2세. 그리고 어째서인지 한 방 먹여줬다는 표정으로 팔짱을 낀 켈리치를 내려다보며.

황금색 제단으로.

페이는 피라미드 꼭대기에 착지했다.

"뭐, 우리 모두의 합동 승리라는 거지."

『이론은 없다.』

빛 속에서 신 마아트마 2세의 모습이 녹아내리듯 사라진다.

만족했다.

그렇게 말하고 싶은 듯이 밝은 목소리로.

『인간과 신의 게임은 끝나지 않는다. 인간이여, 새로운 게임에서 기다리마.』

"기대할게."

『그러니 그 꽃, 맡겨두지.』

제단에 바친 태양 꽃이 한층 강하게 빛나며.

페이가 눈을 감은 잠시 후.

신과 그 군세는 드넓은 사막 어디에서도 찾아볼 수 없었다.

VS 『태양의 군신』 마아트마 2세.

태양 쟁탈 릴레이. 공략 시간 54분 19초로 『승리』.

【승리 조건 1】 피라미드까지 달려가 태양 꽃을 피라미드의

　　　　　　　최상단 재단에 바칠 것.

【승리 조건 2】 신 팀의 태양 꽃을 빼앗는 것.

【패배 조건 1】 아군 팀의 태양 꽃을 빼앗기는 것.

【룰】 잠시라도 소지한 꽃의 개수가 0이 된 자는 그 자리

　　　에서 실격.

드롭 아이템

승리 보수 : 『태양 꽃』. (입수 난이도 「신화급」. 태양을 부

르는 힘이 있다고 하지만, 상세 불명.)

현실 세계로 귀환.

다이브 센터로 돌아온 페이를 맞이한 것은 홀이 뒤흔들릴 정도로 성대한 박수였다.

"잘 보았다. 훌륭했다, 페이 씨."

기분이 좋아 보이는 사무장 바레가.

"이번 게임의 시청자 수는 마르 라 지부의 방송 중에서 역대 1위를 가볍게 갱신했다. 자네들을 초대한 보람이 있군."

"그것보다 페이, 계속해서 설명을 부탁합니다."

켈리치가 끼어들었다.

"태양 꽃은 다크스가 들고 있었어요. 그걸 다크스가 탈락 직전에 당신에게 양도했죠. 상황은 알겠는데, 처리 방법이 너무 능숙했던 것 아닌가요?"

"그 말은?"

"태양 꽃을 맡았다면 목숨을 걸고 꽃을 지키려고 할 터. 그런데 다크스는 처음부터 당신에게 태양 꽃을 넘겨줄 생각으로 움직인 것처럼 보였습니다."

"그래. 실제로 그렇게 움직였지."

"……어떤 수법을 쓴 건가요?"

태양 꽃을 맡긴다.

그러나 게임 도중 태양 꽃을 페이에게 넘겨라.

이런 간단하면서도 복잡하고 중요한 작전을 임기응변으로 하는 것은 무리다. 페이와 다크스는 며칠 전에 처음 만났다. 같은 팀으로 싸워온 오랜 친구도 아니다.

"설마 「우리라면 마음이 통할 터」라는 불확실한 신뢰는 아니겠죠? 어떻게 작전을 전달한 겁니까?"

"그야 물론 게임 중에 전달했지."

"……아이 콘택트?"

"더 구체적으로. 그건……."

"켈리치."

말을 이어받은 것은 묵묵히 대화를 지켜보던 검은 코트 청년.

"페이가 명확한 **신호**를 보낸 순간이 있었을 텐데."

"네?"

"게임 개시한 순간. 페이가 뭐라고 말했지?"

"……아?!"

갈색 소녀의 매끄러운 눈이 커졌다.

"태양 꽃을 가진 건 나다."

"태양 꽃을 가진 건 나야."

다크스는 판별할 수 있었다.

태양 꽃을 가진 것은 다크스 자신.

따라서 페이와 레셰의 선언은 모두 거짓.

"여기서 중요한 점은 **두 사람의 선언이 거짓이라는 걸 알고 있는 사람은 나와 페이뿐**이라는 것이다. 따라서 그것을 이해한 나에게 보내는 숨겨진 메시지일 가능성이 무척이나 크지."

태양 꽃을 지닌 다크스.

그 다크스가 보는 앞에서 페이는 일부러 「자신이 갖고 있다」고 선언했다.

"……! 갖고 있지 않다면 넘기면 된다!"

"그래. 그 메시지가 내게만 전해졌다."

페이의 선언은 신을 향한 도전장이 아니라.

다크스에게 보내는 작전이었다.

그리고 레셰의 커밍아웃은 그 의도를 헷갈리게 하기 위한 속임수.

"그 선언에 그런 의미가……."

"모두에게 알리지 않은 건 미안했어. 특히, 펄."

"정말 그렇다고요오."

드디어 왔다는 듯이 뾰로통한 표정을 한 펄.

"페이 씨가 제게 태양 꽃을 맡겼다고 생각해서 엄청 기합을 넣었는데……."

"그 정도가 아니면 신을 속일 수 없을 테니까."

신을 속이기 위해선 먼저 아군부터 속여야 한다.

사실 의미가 있었다. 다크스가 탈락한 순간의 켈리치의 분노와 두려워하지 않고 마아트마 2세에게 돌진했던 펄의 당당한 모습.

페이의 작전을 전달했더라면 그 긴박감은 절대로 나오지 않았을 것이다.

"그리고 다크스 덕분이지. 잘 알아차려 줬어."

"별것 아니지. **한 번 본 트릭이었다.**"

다크스의 그 말에.

켈리치의 눈이 다시 휘둥그레졌다.

"설마?! 그건 그제 했던『Mind Arena』의⋯⋯."

"그래. 페이의 메시지는 처음부터 복선이 깔려 있었던 셈이지."

"고속 마법 『재래의 꿈(앙코르)』을 영창."

저는 이 효과로 행어에 버려진 카드 한 장을 가져올 수 있어요!"

한 번 버렸다고 생각한 카드/꽃을 마지막 선수가 사용한다.

그 복선.

페이와 대전했기에, 그리고 다크스는 그 패배로부터 눈을 돌리지 않고 마음에 새겨뒀기에 페이의 선언에서 태양꽃 양도 작전을 완벽히 파악할 수 있었다.

"아무래도 좋다. 방법을 밝히며 즐기는 취미는 없어."

다크스가 검은 코트를 펄럭이며 뒤를 돌았다.

예리함이 담긴 눈만 이쪽으로 보내며.

"페이여. 영원한 라이벌인 우리의 게임은 이제 막 시작됐다. 다음 결투의 무대에서 너를 기다리마! 가자, 켈리치!"

"……실례할게요. 수고하셨습니다."

높은 발소리를 울리며 다크스가 다이브 센터를 떠났다.

따라가는 켈리치의 등을 잠시 바라보고는.

"……그래서."

페이는 홀 구석에 앉아 있던 검은 머리 소녀를 돌아보았다.

흥분이 가시지 않은 표정을 한 그녀에게.

"어땠어? 넬."

"……?! 무, 무슨 말인가, 페이 공!"

정신을 차린 넬이 그 자리에서 얼른 일어나며 말을 이었다.

"그, 그 질문은……."

"땀을 엄청 흘렸네."

"……!"

붉어진 뺨. 줄곧 주먹을 세게 쥐었던 탓에 손바닥에 손톱자국이 남아 있었고, 지금도 목덜미에는 커다란 땀방울이 흐르고 있었다.

그만큼 열심히 지켜보고, 열심히 응원했으리라.

그러나.

"정말 그걸로 만족해?"

"······?!"

"전력으로 응원해주니 우리는 기뻐. 승리까지 했으니 만만세지. 하지만 넬, 너는 정말로 만족해? 서포터로서 활동하는 것을."

"······."

검은 머리 소녀가 숨을 죽었다.

깨달았다. 아니, 깨닫고 말았다.

자신이 어째서 지금까지 신들의 놀이에 집착하는지.

팀원의 도움을 받지 못한 채 3패로 은퇴.

그런 자신이 드디어 발견한 이상이 페이였다.

그의 팀에 들어가기만 하면 좋은 것이 아니다.

현역으로 게임을 하고 싶었다. 함께 신들에게 도전하고 싶다.

"······그래. 자백하지. 나는······ 사실 페이 공과 같은 팀으로, 같은 사도로서 함께 신들의 놀이에 도전하고 싶었다······!"

"그럼 그렇게 하자."

"······! 하, 하지만 나는 이미 3패한 몸이다! ······이미 은퇴가 정해져서······."

넬의 왼손에는 「Ⅲ」이라는 패배 수가 새겨져 있다.

신들로부터 각인된 증표가 있는 한, 엘리먼츠에 다이브할 수 없다.

"······설마."

침묵을 깨고 바레가 사무장이 자신의 선글라스를 들어 올렸다.

"페이 씨. 네가 하려는 일은."

"그 예상이 맞아요."

"하지만····· 그건 극악한 리스크를 짊어지게 된다. 최근 20년 동안 전 세계에서 누구 하나 도전한 자가 없었을 터 인데!"

"이미 각오했습니다."

사무장을 향해 살짝 끄덕인 페이는 다시 넬을 돌아보았다.

어리둥절한 표정.

페이와 사무장의 이야기를 듣고도 짐작되는 것이 없었을 것이다. 사무장이 말한 것처럼, 신비법원에서 20년 이상 도전한 적이 없는 비밀의 게임.

"넬. 네 성적이 어떻게 됐지?"

"······나? 아, 그, 그게. 신들의 놀이라면 3승 3패인데······."

"······."

"페이 공?"

"어떻게 잘 조정할 수 있겠네."

자신에게 그렇게 말한 페이는 사무장에게 눈빛을 보냈다.

"바레가 사무장님, 갑작스럽지만 미란다 사무장님에게 연락해주시겠어요? 우리는 『도박신』와 겨루러 가겠다고."

Player.7   아직 포기하고 싶지 않은 탈락자

신들의 놀이 일곱 가지 룰.

룰 6 ― 신들의 놀이에서 3회 패배한 자는 도전 자격이
        박탈된다.

예부터 정해진 인간과 신들의 룰.

그러나 동시에 『신들의 놀이』를 겪으며 인류가 깨닫게 된 교훈이 있다.

신들은 변덕스럽다.

버리는 신이 있으면 줍는 신도 있나니.[#1]

인간 세계에 그런 속담이 있는 것처럼, 수많은 신중에는 극히 드물게 탈락한 사도와 놀아주는 독특한 자가 있다고 한다.

『리트라이를 건 대결? 아, 확실히 있어.』

신비법원 마르 라 지부.

#1 **버리는 신이 있으면 줍는 신도 있나니.** 일본의 속담. 특정 방면에서 활약하지 못해도 다른 방면에서 도움을 받거나 인정받을 수 있다는 의미.

12층 게스트 룸의 모니터에 비친 미란다 사무장이 한숨을 쉬었다.

일이 성가셔졌다.

그런 미란다 사무장의 속마음이 말투에서 훤히 보였다.

『신은 놀이를 좋아하니까 도전을 포기하지 않은 인간을 무시하지 않아. 페이 군, 그걸 잘 기억했네?』

"저도 어렴풋이 기억했을 뿐이에요. 그러니 미란다 사무장님께 확인하고 싶어서요."

『도박신이라고 불리는 신이 있는데 사도의 승리 표시를 걸고 싸울 수 있어. 구체적으로는 페이 군의 「승」을 걸고 겨뤄서 이기면 넬 군의 「1패」를 지울 수 있는 거지.』

> 일반적인 신 : 승리하면 1승을 부여한다. 패배하면 1패를 부여한다.
>
> 북메이커 : 승리하면 1패를 지운다. 패배하면 1승을 지운다.

대부분의 신은 승리와 패배를 「더하는」 힘을 지닌다.

북메이커는 그것을 「빼는」 힘이 있다.

『북메이커는 성격이 꼬인 신도 있어서 특정 거신상에서 다이브해야만 만날 수 있어. 북메이커 전용 거신상은 마르라 지부에는 없는 모양이네. 넬 군이 모르는 것도 무리가 아니지.』

신비법원에서 30년 이상 대전 기록이 없다.

그러니 그 거신상이 없는 마르 라 지부 소속 사도인 넬이 모르는 것도 이해가 된다.

"하지만 있군요. 루인에는."

『……그렇지, 뭐.』

모니터 너머로 미란다 사무장이 두 번째 한숨을 쉬었다.

"그럼 레셰 님, 우선 이걸 봐주세요."

"우리 지부가 보관하고 있는 거신상의 다이브 신청 상황이에요. 거신상은 전부 다섯 개가 있는데, **하나는 사용할 수 없어서** 네 개가 쉴 틈도 없이 가동 중 입니다."

루인 지부에 있는 거신상 하나가 미사용 상태다.

그것이 바로 북메이커와 연결된 거신상이다.

『우리 쪽은 이제 40년 정도 됐나. 사용되지 않은 채 먼지만 쌓인 거신상이야. 아, 물론 비유일 뿐이고 정비는 제대로 하고 있어.』

페이의 손에 종이 자료가 들려 있었다.

오늘 아침 일직 미란다 사무장이 보낸 데이터를 인쇄한 것이다.

북메이커는.

1 : 인간과 북메이커의 일대일 대결로 게임을 벌인다.

2 : 배팅은 동행자의 1승. 여기선 페이의 1승을 칩으로 삼는다.

3 : 도전자인 넬이 승리하면 넬의 패배 수가 1 줄어든다. 통산 3승 3패에서 3승 2패로.

4 : 넬이 패배하면 배팅했던 페이의 승리 수가 1 줄어든다. 통산 6승 0패에서 5승 0패로.

"그렇군. 내 1승을 사용해 넬이 북메이커에게 도전. 승리하면 넬의 1패가 사라지고 2패로 돌아갈 테니 현역으로 복귀할 수 있다는 거야."

"기, 기다려줘. 그럴 수는 없다!"

그렇게 외친 것은 다름 아닌 넬.

강렬한 눈빛으로 주먹을 꽉 주고서.

"내가 지면 페이 공의 1승이 사라지는 것 아닌가! 내기에 거는 리스크가 너무 커……!"

"아니, 괜찮아."

"무, 무슨 말인가, 페이 공?!"

신들의 놀이 6승 0패.

페이의 통산 성적은 이미 전인미답의 대기록에 도달했다.

앞으로 더 강력한 신이 나타날 가능성이 있지만, 이 흐름대로 가면 10승이 보이기 시작한다. 인류 사상 전례가 없는 완전 공략이.

"페이 공의 6승을 생판 모르는 내가 내기에 져서 잃게 된다면……."

『인류의 보물을 상실하는 거지. 확실하게.』

모니터 너머에서.

턱을 괸 미란다 사무장이 억누른 목소리로 말을 이었다.

『신비법원의 사무장으로서 말하자면, 페이 군의 승리는 인류의 희망 그 자체야. **고작 3승밖에 하지 못한 넬 군의** 재기를 위해 도박하는 것 자체가 엄청난 문제지. 그건 이해하지? 넬 군.』

"……."

『페이 군의 공적을 보면 착각하기 쉽지만, 애초에 신들의 놀이에서 1승을 이루는 건 정말로 어려운 일이야. 오늘도 내 앞으로 온 결과는 3전 모두 **패배**거든.』

신들의 놀이는 그 평균 승률이 11퍼센트에 불과하다.

페이와 용신 레오레셰와 같은 소수의 승리자를 제외하고는 몇백 명이나 되는 사도가 참패당하는 것이 현실이다.

『인류가 필사적으로 거머쥔 1승을 건다. 배율로 말하자면 1승에 어울리는 건 1패가 아니라 10패. 소중한 1승을 걸고 북메이커에게 승리해도 1패밖에 지울 수 없다니, 그건 구제 조치가 아니야. 사기에 가까운 바가지요금이지.』

수지가 맞지 않는다.

1승은 1패의 열 배는 귀하다. 그럼에도 1승과 1패를 같은 저울에 달아 싸우는 것은 너무나도 불평등한 시스템이라 할 수 있다.

『그러니까 사용되지 않은 거지, 이 북메이커라는 구제 조치가. 마르 라 지부의 넬 군이 모르는 것도 당연해. 이미 몇십 년이나 사용되지 않았으니까.』

하아, 하고.

미란다 사무장이 보란 듯이 탄식했다.

『넬 군, 페이 군의 1승을 헛되이 할 위험에 빠트리면서까지 복귀하고 싶니?』

"윽!"

『신비법원의 역사상 얼마나 많은 사도가 은퇴했을 것 같아? 그중에는 신들의 놀이에서 6승, 7승을 이룩한 영웅들도 많았어.』

그러나 그런 영웅들도 은퇴했다.

『신들의 놀이』에서 3패해서, 그것이 자신의 한계라고 생각해 물러난 것이다.

『**고작 3승밖에 하지 않았으면서** 페이 군과 레셰 님이라는 최고의 팀에 참가하고 싶다는 바람만으로 정말로 페이 군의 1승을 배팅할 생각이니?』

"그, 그건……."

『이런 말을 해서 미안한데, 자신이 그만한 가치가 있는 인재라고 생각해?』

"윽!"

검은 머리 소녀가 입술을 깨물었다.

고개를 숙이고 그저 멍하니 어깨를 늘어뜨리고서는.

"그, 그럼 저의 1승을 걸게요!"

갑자기 울린 것은 펄의 목소리.

"페이 씨의 1승이 중요한 건 맞아요. 그렇다면…… 저의 1승을 배팅해서 넬 씨가 싸우면 해결되죠?!"

"펄?!"

넬이 깜짝 놀라며 돌아보았다.

이에 미란다 사무장은 모니터 너머에서 말이 없었다.

"……넬 씨는 목이 쉴 정도로 저희를 응원해줬어요."

『정이 붙었니?』

"그게 뭐 어때서요?!"

노려보듯 예리한 사무장의 시선.

그것을 정면에서 받은 펄은 자신의 가슴에 손을 얹었다.

"저, 저는 착각이 심하다는 말을 듣지만 넬 씨는 정말로 저희와 함께 게임을 하고 싶어해요. 그 정도는 알 수 있어요!"

"……뭐, 그런 거지."

펄의 등에 손을 얹은 페이가 한 발 앞으로 나섰다.

"그렇게 됐어요, 미란다 사무장님. 그리고 **배팅하는 건 제 승리 수면 됩니다.**"

그렇다.

다른 누구의 것이 아닌, 자신의 승리 수인 것에 의미가 있다.

"괜찮지? 레셰."

"음. 뭐, 내 거라도 상관은 없는데."

레셰의 느긋한 목소리.

안쪽 소파에 느긋하게 앉아 혼자서 바둑을 두는 도중이었는데.

"있지, 미란다."

『네, 레오레셰 님.』

"이전 신의 입장으로 말하겠는데, 신은 재기를 바라는 사도 따위는 아무래도 좋아. 다시 한 번 시작하고 싶다고 바라거나 말만 하는 인간에게는 흥미 없어. 신은 말이지, 스스로 기적을 개척하는 자에게만 미소 짓거든."

넬은 생각을 행동으로 옮겼다.

마음을 굳히고 자신들의 앞에 나타나 긍지를 버리고 고개를 숙여 함께 싸웠다.

기억은 아직 일어나지 않았지만.

기적이 일어날 조건은 충족했다.

"은퇴한 사도가 몇 천, 몇 만인지는 모르겠지만 적어도 나와 페이에게 **그렇게 한 건** 넬 혼자잖아? 내가 눈독을 들일만하지."

『……지당하신 말씀이네요.』

"그렇게 됐으니 정해졌네."

『……사도의 팀은 친목 동호회가 아닌데 말이죠.』

별수 없다.

그런 쓴웃음을 지은 미란다가 고개를 뒤로 젖혔다.

『그럼 준비할게요. 레셰 님이 루인에 돌아오시면 바로 북메이커에게 도전할 수 있도록.』

"……그렇게 됐으니."

숨을 내쉬고서.

페이는 굳은 표정을 한 소녀에게 고개를 끄덕였다.

"아직 기적은 일어나지 않았어. 우리가 할 수 있는 건 기적을 일으킬 준비뿐이야. ……그래서, 복귀할 거지?"

"……."

"이겨라, 넬."

"……그래! 물론이다!"

검은 머리 소녀가 밝은 얼굴을 했다.

"고맙다, 페이 공, 레오레셰 님, 그리고 펄도. 이곳에 있는 모두에게 감사한다. 특히 페이 공에게는 어떻게 감사해야 할지……."

"아, 참고로 내 승리 수가 줄어드는 건 신경 쓰지 않고 걸어도 돼. 1패를 하든 2패를 하든 괜찮아."

"그건 안 된다!"

넬이 고개를 도리도리 저었다.

"페이 공에게 1승만 빌리지. 그 1승을 무사히 돌려줄 수 있도록 반드시 북메이커와의 게임에서 승리하겠다!"

그리고.

시간이 흘러 약 일주일 후.

Epilogue   도박신

작은 아공간.

「신」의 말로는 가장 작은 엘리먼츠.

「신」이 가장 작은 엘리먼츠라고 직접 설명한 필드에서.

『하아.』

아공간에 울린 것은.

인간의 목소리와는 다른 신의 한숨이었다.

『재미없네. 인간, 너무 약해.』

"……."

단 하나의 포커용 테이블.

거기에 마주 앉은 검은 머리 소녀가, 두 명 있었다.

넬 렉클리스가 두 사람.

한 명이 경멸의 눈빛으로 바라보는 곳에는 손에 든 트럼프 카드를 놓고서 바닥에 힘없이 무릎을 꿇은 또 한명의 넬이 있었다.

"그런……."

『나는 특별한 걸 하지 않았어. 인간이 하는 게임과 똑같은 포커지. 결사의 한 번, 눈물 젖은 한 번, 자포자기의 한 번. **전부 네 패배야.**』

넬을 내려다보는 넬.

원래 그녀의 눈동자가 자수정과 같은 색채인 것인 반면, 이 넬은 선명한 호박색.

그렇다, 닮았지만 다른 가짜다.

다상신 그리모어.

미믹, 셰이프시프터, 도플갱어 등으로 불리는 부정형 신. 그리고 도박신

이 엘리먼츠에 돌입했을 때, 이미 이 신은 넬의 모습으로 기다리고 있었다.

『오랜만에 도전하는 인간이라 기대했는데.』

"……."

『소중한 동료에게서 빌린 1승. 그러니 질 수 없다. 그러니 위험을 동반한 도박을 할 수 없다. 그런 생각이 훤히 보여.』

신의 모습을 한 넬이 손에 든 카드를 휙 던졌다.

다섯 장의 트럼프.

그것이 공중을 하늘하늘 날아 조롱하듯 무릎을 꿇은 넬의 눈앞에 떨어졌다.

『이 인간의 패배는 뒤집을 수 없어.』

내려다보던 넬에게 흥미를 잃었는지 북메이커가 돌아보았다.

페이를.

『그리고 네가 건 **3승**은 전부 가져간다.』

"……."

오른쪽 손바닥에 묵직한 통증이.

오른손에 새겨졌던 「Ⅵ」의 멍이 사라지고 「Ⅲ」이라는 멍으로 변했다.

페이, 『신들의 놀이』6승 0패에서 3승 0패로.

말없이 선 페이.

의욕을 잃은 모습으로 말조차 잃어버린 넬.

그것을 멍하니 지켜보는 펄과 여전히 입을 다문 레셰.

네 사람의 방문자를 둘러보고는.

『진짜 실망했어. 재미없네.』

북메이커라고 불리는 신은 마치 인간처럼 한숨을 쉬었다.

그것은 실망.

넬이라는 인간에게 실망한 것이 아니다. 몇 십 년 만에 게임으로 놀 수 있다는 기쁨이 사라진, 어린아이처럼 천진난만한 「맥 빠진 신」이었다.

『재밌는 게임을 할 수 있을 줄 알았는데. 그만 돌아가, 인간.』

빙글 등을 돌린다.

그런 북메이커에게.

"기다려."

『…….』

"게임은 지금부터잖아."

페이의 한 마디로.

떠나려던 북메이커의 발걸음이 멈췄다.

『무슨 말을 하는 거야? 인간.』

"전부 노렸던바라고."

『……?』

"북메이커……."

넬의 모습을 한 다상신을 바라본다.

그리고.

"이 게임은 내 승리다."

『……뭐?』

"네가 이 게임을 받은 시점에 나는 승리를 확신했어. **어
떻게 된다 해도 말이야. 그리고 그 예상대로 끝난 거야.**"

　승리 선언.

　전선 유지 선언을 뛰어넘어 **이미 이겼다**는 선언으로.

　"넬에게도 그렇게 말했잖아? 이기면 만만세지만 져도 실
망할 필요가 없어."

　"……어?"

　"좋아, 교대다."

멍하니.

어안이 벙벙한 넬의 어깨를 두드린 페이는 다부지게 웃어 보였다.

"이해가 안 된다는 표정이네. 바로 알려줄 수도 있지만……."

호박색 눈동자로 이쪽을 바라보는 신에게.

"다음은 내가 놀아주지. 답을 맞혀보는 건 그 뒤야."

■ 작가 후기

"페이여! 역시 나와 너는 생애의 라이벌이 될 운명인 모양이군!"

오래 기다리셨습니다.『신은 게임에 굶주려있다.』제2권!

전지전능한 신들과의 게임 대결이 이 작품의 테마입니다만, 이번에는 인간 VS 인간의 경기 대결도 담아보았습니다. 게임에 푹 빠진 것은 인간이든 신이든 마찬가지라는 세계관을 앞으로도 즐겁게 그려 나갈 수 있었으면 좋겠습니다.

그 게임 말입니다만.

이렇게 이야기를 쓰고 있으면 작가 자신이 정말로 이 게임과 같은 전개가 현실 세계에서 볼 수 있었으면 좋겠다는 생각이 들어 두근거렸습니다.

이번 경우에는『Mind Arena』일까요.

카드나 클래스의 종류에 따라 플레이의 폭이 무한히 펼쳐지는 놀이이니, 언젠가 현실에서 이 대전을 볼 수 있다면…… 그런 생각을 하며 제2권을 쓰던 사자네입니다.

'저기…… 게임화 기획도 기다리고 있습니다! (웃음)'

2권의 에필로그에서는 넬과 페이에게 큰일이 벌어졌습니다만, 이게 어떻게 **승리 선언**으로 이어지는지, 부디 3권도 기대해주세요.

그럼 이번 제2권도 많은 분의 도움을 받았습니다.

이 작품을 함께 써주신 담당자 K님, 이번에도 굉장한 일러스트를 잔뜩 그려주신 토모세 토이로 선생님. 나아가 konomi 선생님, GreeN 선생님, 바쁘신 와중에 정말 미려한 응원 일러스트를 보내주셔서 이 자리를 빌려 감사 인사드립니다!

그리고 이 책을 골라주신 당신에게, 진심으로 감사드립니다!

제3권은 아마도 초가을 무렵일 것 같습니다.

페이가 도전하는 신의 속임수 간파에 많은 기대 부탁드립니다!

봄의 낮 무렵에 사자네 케이

■ 역자 후기

안녕하세요. 역자 김덕진입니다.

궁극의 두뇌 게임 판타지, 신은 유희에 굶주려 있다 2권으로 인사드리게 되어 영광입니다.

이번 2권에서도 재밌을 것 같은 게임이 많이 나왔습니다. 개인적으로는 작가님 마음에 들었다는 『Mind Arena』라는 게임을 보고 옛날 생각이 나더군요.

아마 2000년대 초반 게이머라면 많은 분들이 아실 「주사위의 잔ㅇ」이라는 게임이 있었습니다. 이 게임도 『Mind Arena』와 비슷하게 원하는 캐릭터를 골라 다른 유저와 주사위 보드게임을 즐기는 방식이었죠.

당시 제 친구들은 이 게임에 푹 빠져 있었습니다. 소위 「고인물」이었죠. 하지만 항상 똑같은 멤버끼리 게임을 즐기는 것이 아쉬웠는지 새로운 「뉴비(제물)」가 필요했고, 그렇게 선택된 것이 바로 저였습니다. 뭐, 사실 당시 그 친구들과 같이 즐겼던 스포츠 게임과 대전 격투 게임 등에서는 제가 고인물인 입장이었으니 장르를 바꿔 복수하자는 속

셈이었는지도 모르겠군요.

어쨌든 아무것도 모른 채 친구들과 함께 즐길 생각에 해맑은 표정으로 게임을 시작한 저는 곧 친구들의 무차별 공격으로 정신을 차리지 못했습니다. 친구들은 마치 지금껏 쌓인 울분을 풀겠다는 것처럼 즐거워하더군요. 음, 지금 생각해보면 역시 소소한 복수가 맞았던 것 같네요.

그렇게 무차별 공격을 받으면서도 게임을 진행했던 저는 우연히 워프를 할 수 있는 기회를 얻었고 그대로 골인 지점에 도착해서 승리를 거머쥐었습니다. 일종의 비기너스 럭이었죠. 그러나 분명 열세였던 제가 승리를 했다는 사실에 승리했던 저도 어안이 벙벙했고 복수에 실패한 친구들은 억울함에 몸부림쳤다는, 뭐 그런 소소한 이야기입니다.

추억 이야기가 너무 길어졌지만 어쨌든 이렇게 2권도 마무리되었습니다. 새로운 게임, 새로운 등장인물 덕분에 무척 즐겁게 작업할 수 있었습니다. 게다가 에필로그의 전개를 보면 3권도 기대를 안 할 수가 없네요. 그러니 꼭 3권으로 다시 찾아뵐 수 있었으면 좋겠습니다.

그럼 2권 역자 후기도 이만 마치겠습니다.
항상 즐거운 일 가득하시길 바라며 이만 줄이겠습니다.

NAME **다크스 기어 시미터**

PROFILE

현 18세.
페이보다 1년 빨리 데뷔해 순식간에 마르 라 지부
를 대표하는 사도의 자리에 오른 청년.
지기 싫어하는 자세, 뛰어난 용모로 대중으로부
터 압도적인 인기를 자랑한다.

신주(어라이즈)『다크스 허리케인』

바람을 다루는 신주이지만, 정식 명칭은 불명.

SPEC

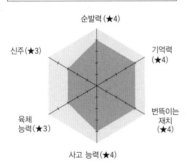

순발력(★4)
기억력(★4)
신주(★3)
번뜩이는 재치(★4)
육체 능력(★3)
사고 능력(★4)

플레이어 성능 ★5

게임 전반이 뛰어남. 그중에서도 우수한 통찰력을 살려 포커 등 상대의 일거수일투족을 관찰
하는 게임이 특히나 뛰어남. 또한 하늘이 내린 축복이라 해야 할 만큼 운이 좋은 플레이어이
기도 해서 단순한 운 게임으로서 포커나 마작으로 싸운다면 거의 최상위 레벨.
그러나 본인의 무서운 점은 그런 운에 기대지 않고 절대로 방심하지 않으며 철두철미하고 치밀
하면서도 대담한 전략으로 싸우는 점. (페이의 말)

카리스마 ★5

사람들의 관심이 끊이지 않는 『게임의 귀공자』.

NAME **켈리치 시**

PROFILE

현 17세.
다크스의 동기로 어떤 사건을 계기로 함께 행동
하게 된 소녀.
냉정하며 어른스럽게 보이지만 속은 뜨거운 직
감형.

신주(어라이즈) 『연기집중 (오라 드라이브)』

주먹과 발에 에너지를 모은다.

SPEC

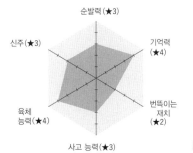

순발력(★3)
기억력(★4)
번뜩이는 재치(★2)
사고 능력(★3)
육체 능력(★4)
신주(★3)

번뜩이는 재치 ★2

켈리치 자신이 「……서툽니다.」 하고 인정하는 분야.
게임의 정석이나 전형적인 전술을 담담하게 진행하는 것이 특기인 반면, 유연한 발상력이 부족해
그것이 뛰어난 상대에게는 허를 찔리기 쉽다. 대신 기억력과 논리적 사고에는 자신이 있으며 카드
짝 맞추기 게임과 마피아 게임에서는 정평이 났다.

육체 능력 ★4

초인형 사도이자 복싱 라이선스 보유자.
넬이 발차기가 특기라면, 이쪽은 주먹이 특기.

신은 유희에 굶주려있다. 2

초판 1쇄 발행 2022년 9월 10일

지은이_ Kei Sazane
일러스트_ Toiro Tomose
옮긴이_ 김덕진

발행인_ 신현호
편집장_ 김승신
편집진행_ 권세라 · 최혁수 · 김경민 · 최정민
편집디자인_ 양우연
관리 · 영업_ 김민원

펴낸곳_ (주)디앤씨미디어
등록_ 2002년 4월 25일 제20-260호
주소_ 서울시 구로구 디지털로 26길 111 JnK디지털타워 503호
전화_ 02-333-2513(대표)
팩시밀리_ 02-333-2514
이메일_ lnovellove@naver.com
ㄴ노벨 공식 카페_ http://cafe.naver.com/lnovel11

KAMI HA GAME NI UETEIRU. Vol.2
©Kei Sazane 2021
First published in Japan in 2021 by KADOKAWA CORPORATION, Tokyo.
Korean translation rights arranged with KADOKAWA CORPORATION, Tokyo.

ISBN 979-11-278-6539-9 04830
ISBN 979-11-278-6467-5 (세트)

값 7,800원